新潮文庫

# シャーロック・ホームズの叡智

コナン・ドイル
延原　謙訳

新潮社版

845

目次

# シャーロック・ホームズの叡智

# 技師の親指

シャーロック・ホームズとの短かからぬ親交のあいだに、彼《かれ》が解決を託《たく》された事件のうちで、この私からの紹介《しょうかい》によるものが二つだけある。ハザリー氏の親指事件とウォーバートン大佐《たいさ》の発狂《はっきょう》事件である。二つのうちでは後者のほうが、鋭《するど》くて独創性ある観察者にとって、よりよき活躍舞台《かつやくぶたい》を提供するものであったろうが、前者はその発《ほっ》端《たん》が怪奇《かいき》をきわめ、経路がいかにも劇的であって、ホームズとしてはあの輝《かが》やかしい結果への基礎《きそ》である推理法を十分駆使《くし》する余地にいくぶん欠けていたかもしれないけれど、ここに記すとすればこのほうが価値が高いのではないかと思うのである。

この事件については再三新聞紙上を賑《にぎ》わしたはずであるが、こうした記事の大半がそうであるように、わずか半段かそこらのうちに大ざっぱな書きかたをしたのと、読者諸君のまえにかずかずの事実が順次に展開され、一つの新しい事実が発見されるごとに、一歩ずつ秘密がとけてゆき、それが積り積って最後に事件の全体が解決されるという書きかたとでは、その効果の点で雲泥《うんでい》の差があるのである。

当時私はこの事件にふかい印象をうけたものだったが、二年の歳月《さいげつ》を経過した今日でもなお、それが少しも薄《うす》れてはいない。

私がこれから要点を話そうとする事件の起ったのは一八八九年の夏、私の結婚《けっこん》後まもないころであった。またもとのように開業することになったので、私はベーカー街にホームズを独りおきざりにはしたが、それでもちょいちょい訪ねてはいったし、ときには彼を説きふせてその放縦癖《ほうじゅうへき》を一時おさめ、私の家を訪ねてくるようにもしたのだった。

私の業務はしだいに発展していったが、場所がパディントン駅からあまり遠くなかったので、二、三の駅員を患者《かんじゃ》にもつことになった。なかでも苦痛を伴《ともな》い長びく病患をなおしてやったある男などは、いつまでも私の腕《うで》まえを吹聴《ふいちょう》してくれ、すこしでも自分の勢力のおよぶ患者があると、かならず私のところへよこしてくれるのであった。

ある朝、七時すこしまえに私はメイドに叩《たた》きおこされた。パディントン駅から二人の男がきて診察室《しんさつしつ》で待っているのだという。鉄道事故の患者に軽いのはないのを経験で知っていたから、おおいそぎで服を着て降りてゆくと、例のよく知っている車掌《しゃしょう》が診察室から出てきて、あとをぴったりと閉めながらいった。

「連れてきましたぜ。案外しゃんとしていますがね」と小声でいって、自分の肩《かた》ごしに親指で診察室をさした。

「いったいどうしたんです？」

車掌の態度で私は、何か変なものを連れてきたなと思った。

「新患ですよ」彼は声をひそめていった。「自分で連れてきた方がいいと思ってね。そうすれば途中《とちゅう》で逃《に》げて、ほかの家へ行く気づかいがありませんや。なに、大丈夫《だいじょうぶ》な人です。じゃ先生、私はこれで帰りますよ。おたがいに仕事のある身ですからね」

忠実な篤志《とくし》客ひきは、私にお礼をいう暇《ひま》も与《あた》えずに急いで帰っていった。

診察室へ入ってみると、ツイードの服を着た地味な身なりの男がひとり、ハンチングを私の本の上において、机の横に腰《こし》をおろしていた。片手にハンカチをまきつけているが、それが血だらけだった。二十五にはなるまいと思う若さ、強い、逞《たく》ましい顔つきが土いろで、一見はげしい痛みに苦しんでおり、それを押《おさ》えるのが精いっぱいといった様子である。

「先生、こんなに早朝からお邪魔《じゃま》してすみません。じつは昨晩ひどい怪我《けが》をしたものですから、けさはパディントン駅に着いてすぐお医者をと訊《たず》ねますと、親切な人がわざわざここまで連れてきてくれたのです。さきほどメイドさんに名刺《めいし》を渡《わた》しましたが、そのサイドテーブルの上においていったようです」

私は名刺を手にとってみた。「ヴィクター・ハザリー、水力技師、ヴィクトリア街一六A（四階）」とある。これがこの朝の訪問者の氏名、職業、住所だ。

「どうもお待たせしましたな」私は自分の診察椅子《いす》に腰をおろした。「では夜行でお着きになったばかりですね。夜行は単調で退屈《たいくつ》だったでしょう」

「いや、あんまり退屈でもなかったです」といって彼は笑いだした。横腹を波うたせ、椅子にそりかえって高い声で腹の底から笑いつづけた。私は職業的本能で、これはよくないと思った。

「笑っちゃ駄目《だめ》です！」と私は叫《さけ》んだ。「しゃんとしてください」

水さしの水をついで与えたが、利《き》かなかった。この笑いは何かの非常な危機が去ったとき、強い性格の人を見舞《みま》うことのある、あのヒステリックな発作《ほっさ》だった。まもなく彼は平常に復したが、ひどく疲《つか》れてまっ赤な顔をしている。

「ああ何というざまだ。われながらお恥《はず》かしいです」

「そんなことはありませんよ。これをお飲みなさい」

水のなかにブランディを少し割って与えると、血の気のない顔がいくぶん色づいてきた。

「おかげでたいへんよくなりました。それでは先生、親指を診《み》ていただきましょうか。

むしろ親指のあとといった方がいいかもしれませんが」

　自分でハンカチをほどいて、手をさし出した。それは職業的に無感覚になっている私でも、ぞっとするものだった。四本の指だけはニュッと出ているが、親指のあるべき場所は見るも無惨《むざん》な、まっ赤な海綿状を呈《てい》しているのだ。叩き切ったか捻《ね》じ切ったか、とにかく根もとから親指はなくなっている。

「ほう、これはひどい！」と私は叫んだ。「ずいぶん出血したでしょう」

「ええ、かなり出ました。やられたときは気が遠くなりました。そしてだいぶながく失神していたようですが、気がついてみるとまだ出血していましたから、ハンカチの端《はし》で手首をしばって、小枝で締《し》めつけました」

「それはよろしかった。あなたは外科医になれますよ」

「なアに水力学の問題ですよ。私の専門ですからね」

「重くて鋭い刃物《はもの》で切ったのですね」私は傷口を調べてみていった。

「肉切り包丁のようなものです」

「過失でしょうね？」

「いや、決して過失なんかじゃありません」

「えッ、これが過失でないとすると、まさか誰《だれ》かに……」

「もう少しで殺されるところでした」

「それは怖《おそ》ろしいことです」

傷口を海綿で洗いきよめ、手当てしてからガーゼをあてて石炭酸消毒の包帯をした。患者は痛いともいわずに、じっと仰向《あおむ》いていたが、さすがにたびたび唇《くちびる》を噛《か》んでいた。

「どうですか、具合は？」処置はすんだ。

「たいへんいいです。ブランディと包帯のおかげで、すっかり元気になりました。これなら大丈夫です。すっかり弱っていましたが、じつは大いに調べてやらなきゃと思いましてね」

「その話なら今日はやめておいた方がよいでしょう。神経にさわるといけません」

「わかりました。今はやめておきます。いずれ警察へ行ってすっかり話してやります。もっともここだけの話ですが、何よりたしかな証拠《しょうこ》のこの傷がなかったら、警察はとても私の話を信じてはくれないと思いますがね。それほど実はこの話は途方もないものなんですし、それを証明すべき材料にも乏《とぼ》しいのです。かりにまた警察が信じてくれたにしても、これという手掛《てが》かりが提供できませんから、悪いやつを懲《こら》しめてもらえるかどうか、疑問だとも思っています」

「ほう、何か問題があって、解決したいご希望があるのでしたら、警察へ行くまえに、私の友人のシャーロック・ホームズ君のところへぜひ行ってごらんになることをお勧めしますよ」

「ああ、あの人のことなら話に聞いていますよ。警察へも頼《たの》まなきゃなりませんが、あの人が引きうけてくれれば大いに嬉《うれ》しいです。ご紹介《しょうかい》ねがえますか？」

「いっそのこと私がお連れしましょう」

「そう願えればたいへんありがたいです」

「じゃ馬車を呼んで一緒《いっしょ》に行きましょう。今からゆけば、ちょうど朝食をいっしょにとることができますよ。どうです、辛抱《しんぼう》できますか？」

「大丈夫です。話をしてしまわないと、どうも気が落ちつきませんよ」

「じゃ召使《めしつか》いに馬車を呼ばせますが、ちょっとお待ちください」

私は二階へ駈《か》けあがって妻に事情を簡単に話し、五分後にはもう二輪馬車におさまって、新しい知人とともにベーカー街さしてゆられていた。

ホームズは私の思ったとおりガウン姿でタイムズの尋《たず》ね人欄《びとらん》に目をとおしながら、食前のパイプをくわえて居間のなかを歩きまわっていた。このパイプには前の日に吸ったパイプ煙草《たばこ》の滓《かす》を集めて、ていねいに乾《かわ》かし、マントルピースの隅《すみ》においてあるのが詰《つ》めてあるのだ。

彼は例のもの静かな愛想《あいそ》のよさで私たちを迎《むか》え、ベーコンのうす切りと卵とを追加註文《ちゅうもん》してくれ、いっしょに気持よく食事をとった。食事がおわると彼はまず客をソファに掛けさせ、頭のうしろに枕《まくら》をあてがい、手の届くところに水でわったブランディのグラスをおいた。

「ハザリーさん、あなたのご経験が尋常《じんじょう》一様のものでないのはよくわかりますよ。どうぞそこで、ほんとに気楽にしてください。そして疲れたら途中で休むとして、できるだけ話してごらんなさい。気付け薬も、そこへおいときました」

「何から何までありがとう。しかし先生に包帯していただいてから別人のようになりましたし、いまのご馳走《ちそう》ですっかり元気を回復しました。お忙《いそが》しい時間をなるべく無駄にしないように、それでは早速《さっそく》風がわりな経験談をはじめるとしましょう」

ホームズは疲れたようなだるそうな眼《め》つきのうちに、その鋭い本性をつつんで、大きな肘掛《ひじかけ》椅子に腰をおろした。それに向いあって私も席についた。そして二人は不思議な客の語りだす不思議な話に耳を傾《かたむ》けたのである。

「まずはじめに私がロンドンの下宿に独り暮《ぐら》しの孤児《こじ》で、独身者だということを申しておかねばなりません。職業は水力技師で、グリニッジの有名なヴェナー・アンド・マセソン工場で七年間徒弟で叩きあげましたから、仕事はかなり経験をつんでおります。二年まえに、契約《けいやく》年季をつとめあげたのと、父が亡《な》くなってかなりの遺産が手に入りましたので、独立して仕事をはじめることにし、ヴィクトリア街に事務所をひらきました。

誰でも独立して事業をはじめた当座は、退屈を経験するものと見えますね。私のはことにそれがひどかったです。二年のあいだに相談が三件、小さな工事仕事が一件、これが私の商売の全部でした。全収入が二十七ポンド十シリングです。まいにち朝の九時から午後四時まで、小さな事務所に坐《すわ》っているのですが、しまいには気もめいってしまい、これじゃ仕事なんか永久にないのではあるまいかと、真剣《しんけん》に考えるようになりました。

ところが昨日です。もう帰ろうかなと考えているところへ、うちの事務員がやってきて、ひとりの紳士《しんし》が仕事のことで面会にきていると申します。名刺をもってきましたが、それには『陸軍大佐　ライサンダー・スターク』とありました。

見ると事務員のうしろに、当のスターク大佐が立っています。ふつうより大柄《おおがら》なほうですが、ひどく痩《や》せた人で、あんなに痩せた人というものは見たことがありません。ぜんたいに削《けず》りをかけて、鼻と顎《あご》はとくに尖《とが》らせたという顔で、それでいて頬《ほお》など、つき出た骨と骨のあいだに皮膚《ひふ》がピンと張っていて、皺《しわ》一つありません。でもこの瘦せかたは生れつきで、病気のためでないのは輝やく眼、活潑《かっぱつ》な歩きぶり、その他態度挙動などでよくわかりました。みなりは質素ですがきちんとして、年は、そうですね、三十代後半というところでしょうか。

『ハザリーさんですね？　あなたは技術もたしかだし、秘密を厳守してくださる信頼《しんらい》のできるかただと推薦《すいせん》されて伺《うかが》ったのです』と、大佐の言葉にはドイツなまりが少しありました。

そんなふうにいわれて喜ばぬ青年はありますまい。私は頭をさげて、

『失礼ながらそんなに私を褒《ほ》めてくださったのは誰でしょう？』

『いや、そのことならばいまは言わぬほうがよろしかろう。あんたがご両親ともない独身《ひとりみ》で、ロンドンには身よりのかたが一人もないということも、同じところで聞いとります』

『まったくその通りですが、失礼ながらそのことが、私の仕事上の資格にどう関係をもちますか？　あなたは仕事上の話でおいでくださったものと心得ますが』

『もちろんその通りです。だがそれもこれも関連のあることが、いまにおわかりですよ。私は仕事のことで伺ったのだが、それには絶対秘密が必要なのです。よろしいか、絶対秘密ですぞ。それについては、家族関係のごたごたした人よりも、独身者のほう

が間違《まちが》いが少ないということになる』

『私がいったん秘密を守るとお約束《やくそく》をした以上は、絶対にご信頼くださってよろしいです』

こういう私の顔を、大佐は穴のあくほど見つめていましたが、あんな疑いぶかい、猜疑《さいぎ》にみちた眼つきには初めてお目にかかりました。

『では約束してくださるか？』

『お約束いたします』

『仕事中はもとより、その前にも後にも、完全な絶対秘密ですぞ。そのことについては口頭はもとより、文字をもってしても、これから先でも触《ふ》れてはなりませんぞ』

『いちどお約束した以上、そんなにおっしゃるまでもありません』

『よろしい』大佐はとつぜん立って、稲妻《いなずま》のようにドアのところへ飛んでいったかと思うと、それをさっと押しひらきました。しかし廊下《ろうか》には誰もいやしません。

『大丈夫だ』大佐は席に戻《もど》ってきて、『事務員というものは、どうかすると主人のすることに好奇心を抱《いだ》くものだが、これで安心して話せます』と椅子をずっと私のそばへ引きよせて、またしてもあの疑いぶかい眼でじっと私を見つめるのでした。

私はこの骨皮男の妙《みょう》な素振《そぶ》りをみているうち、一種の嫌悪《けんお》感と恐怖《きょうふ》に似た感じが心のなかに芽生えてきました。ですから、せっかくの客を逃《のが》すおそれのあるのも忘れて、私はつい言ってしまいました。

『どうぞご用件をおっしゃってください。私は忙しいのです』

この最後の言葉は、つい口から出てしまったのです。神様どうぞお許しください。

『ひと晩きりの仕事だが、五十ギニーでどうですな？』

『結構です』

『ひと晩といったが、正味は一時間でよろしい。故障をおこした水力圧搾機《スタンプ》の調子を調べてさえもらえばよいのです。調べて悪いところをいってもらえば、直すのはこちらで直します。どうですな、そういう性質の仕事は？』

『仕事は簡単なようですし、報酬《ほうしゅう》もすばらしいですな』

『その通りですよ。今晩の終列車で来てほしいのですが……』

『どちらですか？』

『バークシャーのアイフォードというところです。オックスフォード州との境いにちかい小さな町で、レディング市から七マイルたらずです。パディントン駅発で、十一時十五分到着《とうちゃく》のはずです』

『承知しました』

『私がアイフォードの駅まで馬車で迎えに出ています』

『馬車で行くのですか？』

『私たちのいるところは、ちょっと離《はな》れているのです。アイフォードの駅から七マイルはあります』

『じゃ着くのは夜中を過ぎますね。おそらく帰りの汽車はないでしょうし、どこかへ泊《とま》らなければなりませんね』

『何とかまにあわせのベッドを用意しときますよ』

『厄介《やっかい》ですねえ。もっと都合のいい時間に行くわけにはいきませんか？』

『晩《おそ》く来ていただくのがよいということになったのです。名も知れぬ若いあんたに対して、一流人の鑑定《かんてい》料ほどの報酬を出そうというのも、そういう不便をがまんしてもらいたければこそです。しかしあんたがこの話から手を引きたいというのなら、むろん今なら十分まにあいます』

　私は五十ギニーの報酬が頭にありました。これだけあったら、どんなに役だつでしょう！

『手を引くなんて、そんなことは申しませんよ。喜んでご用をつとめさせていただきましょう。しかし仕事の内容を、もう少しはっきり伺っておきたいものですね』

『ごもっともです。無理にも秘密に願ったのだから、不審《ふしん》のおこるのも当然というものです。私としてもあんたに何も話さないで仕事を頼もうとは、少しも思うとりません。それにつけても立聞きされる心配はありますまいな？』

『そんな心配は決してありません』

『では申しましょう。あんたは漂布土《ひょうふど》といって、織物の脂肪《しぼう》分を除去するのに使う材料がたいへん高価なもので、イングランドでは産出するところが一、二カ所しかないのをご承知かな？』

『そんな話を聞いています』

『すこしまえに私はレディングから十マイル以内のところに小さな、ごくごく小さな地所を買いました。ところが運のよいことに、その小さな地所の一部に漂布土の埋《う》もれているのを見つけたのです。もっとよく調べてみるとこの鉱床《こうしょう》は小さなもので、左右にある大きな鉱床をつなぐ細い脈にすぎないことがわかりました。左右の大鉱床はどちらも隣《となり》の人の地所の中にあるのです。

しかし幸いその人たちは、自分の地所の中に金鉱にも匹敵《ひってき》する貴重な鉱床が埋れているとは気がついていないから、今のうちにその地所を買いとれば大儲《おおもう》けができるわけです。だが残念なことに私にはそれだけの資金がない。二、三の友人に秘密を打ちあけたところ、それでは自分の地所の中にある分を秘密に掘《ほ》りだして金をつくり、それで隣の地所を買うがよかろうということになった。

そこでいまそれを実行しているわけだが、仕事をはかどらせるため水圧機を据《す》えつけたのです。この水圧機がいまも申すとおり故障をおこしたので、あんたに点検してもらいたいというわけなのだが、事情が事情だから秘密のもれるのを極度に怖れます。万一私の家へ水力技師が来たことでも知れると、たちまち詮議《せんぎ》をうけます。そしてこの真相がばれてしまったらそれっきりで、地所も買えなくなれば大儲けの計画も水泡《すいほう》に帰してしまう。今晩のアイフォード行きを誰にも口外せぬと約束願ったのは、そういう事情なのです。これでよくわかりましたろうな？』

『だいたいわかりましたが、ただ一つ腑《ふ》におちないのは漂布土を採掘《さいくつ》するのに圧搾機《あっさくき》がなんの役に立つかということです。あれは砂利《じゃり》のように、地中から掘りだしさえすればよいのでしょう？』

『ああそのことなら、われわれのは特別の方法によっているからです。つまり土を煉《れん》瓦《が》のように圧搾して、何物だか判《わか》らぬようにして運びだすのですね。ま、しかし、そんなことは枝葉《しよう》の問題です。これですっかり秘密を打ちあけました。あんたを信用すればこそですぞ』と大佐は立ちあがって、『では十一時十五分にアイフォードで待っています』

『まちがいなく参ります』

『くれぐれも他言無用ですぞ』と大佐はもう一度疑いぶかい眼でじっと私を見つめてから、冷たい湿《しめ》っぽい手で握手《あくしゅ》して急いで帰ってゆきました。

さて、落着いてよく考えてみますのに、とつぜん委託《いたく》をうけたこの仕事は、あなたがたも同感と思いますが、私をまったく驚倒《きょうとう》させました。そしてその反面、何しろ報酬がこちらの請求《せいきゅう》しうる額のおそらく十倍以上でしょうし、これからいよいよほかの仕事もあるようになるのかもしれないと思って、たいへん喜びました。

それからまた一方では、大佐の顔つきといい態度といい、あの通り不快な印象を与えられましたし、漂布土云々《うんぬん》の説明だけでは、とくに真夜中に行かねばならぬ理由や、秘密を口外されるのを極度に怖れていたことなどを説明するに不十分だと感じました。でもまあ私はいっさいの不安を風に吹《ふ》きとばして夜食をうんと食べ、パディントン駅に馬車をとばすと、命令どおりかたく秘密をまもって出発しました。

レディングではただ列車を乗りかえるだけでなく、駅も別のところへ行って乗らなければならないのですが、どうやらアイフォード行きの終列車にまにあって、十一時すぎにうす暗い小さな駅へ着きました。降りる客は私だけでホームには眠《ねむ》そうなポーターがひとり、ランタンをもって立っているだけです。改札口を出てみると向うがわの暗がりにあの男が立っていましたが、何もいわずに私の腕《うで》をつかむと、戸をあけて待っていた馬車に押《お》しこみました。そして仕切り板をたたいて合図をすると、馬車は両がわの窓を閉めて、馬の力のおよぶかぎり一散に走りだしました」

「一頭だてですか」ホームズが質問をはさんだ。

「一頭だてでした」

「毛いろに気がつきましたか？」

「乗るとき側灯でちらと見たのですが、栗毛《くりげ》でした」

「疲《つか》れていましたか、それとも元気でしたか？」

「元気でつやつやしていました」

「ありがとう。お話の腰《こし》を折ってすみません。どうぞ続けてください。たいへん面白《おもしろ》いです」

「どんどん走りつづけました。少なくとも一時間は走ったでしょう。ライサンダー・スターク大佐はたった七マイルといいましたが、馬車の速力と時間とを考えて十二マイル近くあったように思います。大佐はたえず無言で私の横に坐っていましたが、そっとそっちへ眼をやってみると、私の様子をじっと見つめていることがなんどかありました。

あのへんは特に道路がわるいと見えて、前後左右に馬車はひどく揺れました。いったいどんなところを通っているのかと、窓から覗《のぞ》いてみようにも生憎《あいにく》と摺《す》りガラスで、灯火の前をとおるのでしょう、ときどきぼうっとうす明るくなるだけで、外はなにも見えません。退屈《たいくつ》しのぎに話しかけてみても大佐はそっけなく一言返事をするだけで、てんで話になりません。

やっとの思いでデコボコ路《みち》がつきて、馬車は砂利まじりの平らな路に入り、やがて停《とま》りました。すると大佐はとび降りて、つづいて降りた私をすばやく、目のまえに開かれていた玄関《げんかん》へつれこみました。いわば馬車からすぐ玄関へ入ったようなものですから、家の前面をちらと見ることとすら叶《かな》わなかったわけです。玄関に入るとすぐ戸がしまり、馬車のたち去る音がかすかに聞えました。

家のなかはまっ暗でした。大佐は何かぶつぶついいながら、手さぐりでマッチを探していましたが、そのとき不意に廊下のはずれのドアがあいて、一条《ひとすじ》の黄いろい光がさっと長くこちらへ流れてきました。そしてその光の棒がだんだん拡《ひろ》がってくると思うと、一人の女がランプを高く頭のうえに掲《かか》げて現われ、顔を前へ出すようにして私たちを覗きこみました。

なかなかの美人で、着ている黒っぽい服もその光沢《こうたく》から推《お》して、上等の材料だなと思いました。彼女《かのじょ》は外国語で何か二こと三こと訊《たず》ねたようですが、大佐が荒《あら》い声で一語こたえますと、驚《おどろ》いてもうすこしでランプをとり落すところでした。すると大佐はそばへ歩みよって耳に口をよせて何かささやき、出てきた部屋へ押しこんでおいて、とりあげたランプを手にして私のそばへ戻ってきました。

『すみませんがこの部屋でちょっと待っていてください』

べつの部屋のドアをあけて、大佐はこういいました。そこは簡素な小さい部屋で、中央に円テーブルがあってそのうえにドイツ語の本が五、六冊ちらばっていました。

『すぐ帰ってきます』

大佐はランプを入口のそばのオルガンのうえにおいて、暗い廊下をどこかへ行ってしまいました。

円テーブルのうえの本は、ドイツ語は知りませんけれど、二冊が科学上の論文で、あとは詩集でした。田舎《いなか》風景がすこしは見られるだろうと窓へ歩みよってみますと、樫《かし》の木の鎧戸《よろいど》を閉めて丈夫《じょうぶ》な栓《せん》がしてあります。妙にしんと静まりかえった家で、どこか廊下のほうで大きな柱時計がカチカチ時を刻んでいるのが耳につくだけ、死んだような寂莫《せきばく》さです。

漠然《ばくぜん》たる不安が襲《おそ》ってきました。来たこともない人里はなれたこんな家に住んでいるこのドイツ人一家はいったい何者で、何をしているのだろう？　いったいここはどこなのだろう？　アイフォードの駅から十マイルあまりの地点とだけはわかっているが、その西か東か、北か南か、見当さえつかないのです。場所のことなら、しかし、レディングなりそのほかの大きい町なりがだいたい十マイル半径内にはあるのだから、こう見えて案外人里はなれた土地というほどでもないのかもしれない。だが死のようなこの静けさでは、田舎は田舎にちがいなかろう。――私は気を引きたてるために軽く鼻唄《はなうた》をうたったり、五十ギニー儲《もう》かるのだと思いだしたりしながら、部屋のなかをあちこち歩きまわっておりました。

この静寂《せいじゃく》をやぶってだしぬけに、何の前ぶれの物音もなく、ドアが静かに大きく開けひろげられました。みると、まっ暗な廊下を背にしてさっきの女が入口に現われ、美しい張りつめた顔いっぱいに黄いろいランプの光を浴びて立っています。極度の不安にふるえ戦《おのの》いているのがひと目でわかりました。それがまた私の心臓をぞっとさせました。

彼女はふるえる手をあげて、声を出すなと指で私に合図をし、馬が何かにおびえたときのような恰好《かっこう》で、しきりとうしろの暗やみのほうを気にしながら、声をころして片言《かたこと》の英語でいうのでした。

『逃げなさい。あなた逃げなさい。ここにいるよくない。あなたここで仕事する、よいことありません』静かに話すのがもどかしくてならず、わめきたてたい様子すらあります。

『でも用事がまだすまないのです。機械をみないうちは帰るわけにもゆきませんよ』

『待つこといりません。玄関があいています。誰《だれ》もいません』

私が黙《だま》って微笑《びしょう》をうかべ、頭を振ってみせたので、今までの遠慮《えんりょ》をがらりとうちすて、彼女は一歩部屋のなかへ入ってきて、両手を揉《も》みあわせながら、

『どうぞお願いします。はやく逃げてください。でないと取返しつきません』

私は生れつき少々強情《ごうじょう》なたちで、何か障害があるとなおのことそれをやりとおしてみたくなる男です。五十ギニーの報酬《ほうしゅう》のこと、途中《とちゅう》のあの退屈さ、今晩これからがおそらく不快な一夜であるらしいことなど、あれこれと考えめぐらしてみました。すべてこれらは無益な努力にすぎないのか？　せっかく来たのに仕事もせず、うけ取るべきものもうけ取らずに、こそこそ逃げださなきゃならない理由がどこにある？　いったいこの女は偏執狂《へんしつきょう》ではないのか？

じつを申すと私は、内心彼女の態度でかなり怖気《おじけ》づいてはいたのですけれど、断乎《だんこ》

として強情をはりとおし、このままここにいるつもりだといいきりました。それで彼女が重ねて口説《くど》きはじめようとしたとき、頭のうえでバタンとドアの閉る音がして二、三の人がどやどやと階段を降りてくる様子です。彼女はちょっと聞き耳をたてていましたが、絶望的に両手を広げると、現われたときと同じにとつぜん音もなくどこかへ消えてしまいました。

入れかわってやってきたのはライサンダー・スターク大佐と、二重あごの溝《みぞ》からチンチラうさぎのような髯《ひげ》をのぞかせた背の低い肥《ふと》った男で、大佐はこれをファーガスン君といって紹介《しょうかい》しました。

『こちらは私の秘書兼《けん》支配人です。――ときにこのドアは閉めていったつもりだったが、これでは風が入ったでしょう』

『いいえ、何だか部屋がこもるように感じたものですから、私が開けたのですよ』

大佐は例の疑いぶかい視線をちらと投げて、

『では早速《さっそく》仕事にかかった方がよいでしょうな。ファーガスン君と二人で機械のところへご案内しましょう』

『帽子《ぼうし》はかぶって行ったほうがいいでしょうね？』

『いいえ、家のなかにあるのですから……』

『えッ、漂布土は家のなかで掘っているのですか？』

『そうじゃない。ここはただ圧搾する場所ですよ。ま、そんなことはどうでも、あんたにお願いするのは機械を調べて、どこが悪いか教えてもらうことだけです』

ランプをもった大佐を先に、私たちは二階へあがってゆきました。迷宮《めいきゅう》のような古い家で、大きな廊下があり、狭《せま》い通路があり、狭い廻《まわ》り階段があり、低くて小さなドアがあり、そのドアの敷居《しきい》は代々住んでいた人たちに踏《ふ》まれて摺り凹《へこ》んでいます。敷物もなく、階上には家具が一つも見あたりませんで、壁《かべ》はおち、じめじめした湿気《しっけ》が青い汚点《しみ》のところから不健康に滲《にじ》みでています。

私はできるだけ無関心な態度をよそおってはいましたが、あの女の注意してくれたことが、心にとめていたわけではないけれど、妙に忘れられないので、油断なく二人の様子に気をくばっていました。ファーガスンは気むつかしい寡黙《むくち》な男でしたが、それでもその僅《わず》かな口数から、イギリス人であることだけはわかりました。

スターク大佐はついに、とある低いドアの前に立ちどまって、その錠《じょう》をはずしました。なかはまっ四角な小さい部屋ですが、三人一時《いちどき》には入れないので、ファーガスンが外にのこり、大佐が私をなかへつれこみました。

『ここが水圧機の内部です。だからいま誰かが機械を運転しでもしようものなら、それこそおたがいたいへんなことになるわけです。この部屋の天井《てんじょう》全体がピストンだから、下へさがってくると、何トンという大きな力で、この鉄の床《ゆか》を圧することになります。このそとがわに水管が何本もあって、それに加えた水力が伝達され加乗されてゆくことはご承知のとおりです。機械は動くことは動くのですが、何だかすこし渋滞《じゅうたい》する気味があって、それに圧搾力も弱っているようです。どうぞよく調べて、どうしたら直るか教えてください』

私はランプを受けとって仔細《しさい》に調べてみました。みればみるほど大きな水圧機です。これなら恐《おそ》るべき圧力が出せるでしょう。だんだん調べて、そとがわへまわって運転用の把手《レヴァー》を押しさげてみますと、シュッという水音がしたので、側円筒《サイド・シリンダー》の一つから漏水《ろうすい》しているのがすぐにわかりました。調べてみると駆動棒《ドライヴィング・ロッド》のさきについているゴム環《かん》が収縮して、ソケットとのあいだに隙《すき》ができているのが原因です。これでは力が殺《そ》がれるわけですから、その点を指摘してやりますと、大佐たちは非常に熱心に聴《き》きとって、その修繕《しゅうぜん》方法についていくつかの実際的質問を発しました。

すっかり説明して納得《なっとく》させると、私はもう一度圧搾室のなかへ入って、自分の好奇心を満足させるためあたりをよく見まわしました。むろん漂布土の話なんか、根も葉もない嘘《うそ》であるのがひと目でわかりました。どう考えても見当ちがいの目的に、こんな途方もなく強力な機械のいるはずがありません。四方の壁は木造ですが、床は大きな鉄の平盤《へいばん》になっていまして、その表面いたるところに金属質のうす皮のようなものがこびりついているのが、入ったときから見えていました。はてなんだろうかと蹲《しゃが》んでガリガリ掻《か》き起してみていますと、ドイツ語で何か低く叫《さけ》ぶのが聞えましたから、みあげると、まっ青な顔で睨《にら》みつけている大佐と視線があいました。

『何をしとるんです？』

私はあんなうまい話で欺《かつ》がれたのが口惜《くや》しかったから、かまわずいってやりました。

『漂布土を拝見していたところですよ。いったいこの機械は、ほんとうの用途がわかっておれば、もっと有効適切な助言もしてあげられるのですがね』

いってしまってから私は、自分の軽率《けいそつ》を後悔《こうかい》しました。大佐の顔は急にけしきばんで、灰いろの眼《め》が悪意をはらんでギラリと光りました。

『よろしい。この機械のことをすっかり知らせてやろう』

大佐は一歩身をひいて、小さなドアをバタンと閉めると、錠をかってしまいました。私は咄嗟《とっさ》にドアへとびついて把手《ハンドル》を引きましたがビクともしません。押せども蹴《け》れども動きません。

『おーい！　大佐、もし、開けてください』私は声をあげてどなりました。

そのとき急に、今までの静けさを破ってある物音が聞えだしたので、私は気の遠くなるほどびっくり仰天《ぎょうてん》しました。把手《レヴァー》のガタンという音につづいて、円筒《シリンダー》からシュッと水の漏《も》れる音がしだしたのです。

大佐が機械の運転をはじめたのです。ランプはさっき私が床盤を調べようとして置いた場所にそのままありますが、その光でみるとまっ黒な天井がググッ、ググッと少しずつ降りてくるのがはっきりわかります。やがて一分間のうちには、恐ろしい力でこの身をぐしゃぐしゃに圧《お》しつぶしてしまうだろうことは、水力技師である私が誰よりもよく知っているのです。

私は悲鳴をあげながらドアにからだをぶつけたり、錠のところを爪《つめ》でひっかいたりしました。大声で大佐に哀願《あいがん》してもみましたが、その叫びは把手《レヴァー》のガタンガタンという音のために無慈悲に打ち消されてしまいます。天井は頭上一、二フィートのところまで降りてきました。手をのばすとそのザラザラした堅《かた》く冷たい表面にさわれます。そのとき私はふと、妙《みょう》な考えが頭をかすめました。いよいよ死ぬときからだの位置によって、その苦痛が違《ちが》うだろうということです。うつぶせになれば背骨に圧力が加わってくるに違いありません。背骨がポキポキ折れるときのことを考えたら、ぞっと身ぶるいがでました。少しでも苦痛の少ないのは仰向《あおむ》きになっていることでしょうが、あのまっ黒な怖《おそ》ろしい鉄板がじりじり降りてくるのを、まともに見ている気力が果してあるでしょうか？　ああ、もうちゃんと立っていることもできなくなりました。が、そのときふと私はあるものを見つけて心に希望が湧《わ》きおこるのを覚えました。天井と床は鉄ですが、四方の壁が木造なのは先ほども申しあげました。絶望的にすばやくあたりを見まわした私は、板の合せ目の細い隙から黄いろい光がもれて、ピストンの下るにつれて板が押されるため、その光の幅《はば》が次第《しだい》にひろがってくるのを見たのです。それを見た瞬間《しゅんかん》は、怖ろしい死を脱出する逃げ路がそんなところにあろうとは考えも及《およ》びませんでしたが、次の瞬間それに気がつくと、私は夢中《むちゅう》でそこへ身を投げつけ、羽目板をつきぬけて向うがわへ倒《たお》れ出たときは、半ば失神していました。

たわんだ板は私が出るともと通りになり、やがてランプのこわれる音がし、つづいて二枚の鉄板の合さるのが聞えて、いかに私の脱出《だっしゅつ》が危機一髪《いっぱつ》であったかを教えてくれました。

むちゃくちゃに手首を引張られるので、ふと私は正気にかえりました。みると狭い廊下《ろうか》の石畳《いしだたみ》に倒れている私のうえに、右手に蠟燭《ろうそく》をもった女が身を屈《かが》めて、左手で私の手首をとっているのでした。この家へきたときせっかく注意してくれたのに、愚《おろ》かにも私が聞きいれなかったあの女です。

『さ、早く、早く。いまあの人たち来ます。あそこにいないのがわかります。時間貴重です。さ、こちらへ』女は息をはずませています。

このときばかりは私も彼女の助言を軽蔑《けいべつ》していないで、よろめいて立ちあがると後について廊下をはしり、廻り階段を駈《か》けおりました。降りたところは広い廊下で、そのとき早くも走る足音と二人の叫び声が聞えました。一人は階下で、一人は私たちと同じ階のどこかですが、二人はなにか喚《わめ》きあってどこかを走っているのです。すると女はその場に立ちすくんで、途方にくれてあたりを見まわしましたが、咄嗟にそこのドアをあけると、それは窓から月光のさしこんでいる寝室《しんしつ》でしたが、

『ここしかありません。高いけれど、何とか飛び降りられるでしょう』

そのときふいに廊下のはずれに明りがさしたと思うと、瘦《や》せた大佐がこちらへ駈けてくるのがみえました。片手にはランタンを、一方の手には肉屋の肉切り包丁のようなものをもっています。

私は寝室へとびこむと、窓を押しあけてそとを覗きました。そのとき月の光でちらとみおろした庭の、何と静かで美しく、健《すこ》やかだったことでしょう！　高さは三十フィートまではありますまい。私は窓にのぼりましたが、とび降りるのは躊躇《ちゅうちょ》しました。追っかけてくる大佐と命の親であるこの女との間がどんなことになるか、それを見届

けたかったのです。もし彼女に危害でも及ぶようならば、どんな危険を冒《おか》しても助けに出なければなりません。

私がそれを考えたとき、大佐はもう戸口まで迫《せま》っており、女を押しのけて中へとびこもうとしました。すると彼女は両手で大佐に抱《だ》きついて引戻しながら英語で叫びました。

『フリッツ！　フリッツ！　この前のときの約束《やくそく》を思いだしてちょうだい。二度としないといったじゃありませんか。あの人何もいいはしませんわ。きっと何もいいはしませんわ』

『気が狂《くる》ったか、エリーゼ！　おれたちを破滅《はめつ》させるつもりか？　あいつは見てしまったんだ。さ、放さぬか！』

大佐はエリーゼを押しのけようともがいていましたが、ついに振《ふ》りきって窓へ駈けよるなり、その大きな刃物で私に斬《き》りつけました。私はとび降りるつもりで窓の溝に手をかけ、ぶらりとぶら下がっていたところです。鈍《にぶ》い痛みを感じた手をはなすと、そのまま三十フィート下の庭へ落ちてゆきました。

ドサリと激《はげ》しく落ちましたが、幸い怪我《けが》はありません。戸外へ出ただけで危険が去ったわけじゃありませんから、すぐに起きあがると、草や木のなかを夢中で一生懸命《いっしょうけんめい》逃げました。

逃げるうち急に吐《は》き気がして、頭がふらついてきたので、さっきからズキン、ズキンと痛んでいる手をみて、そのときはじめて親指のなくなっているのに気がつきました。ひどい出血ですからハンカチを出して傷口を縛《しば》ろうとしましたが、急に耳がガーンと鳴りだしたと思うと、あとは何もわからなくなってしまいました。ばらのやぶのなかで気を失ってしまったのです。

どのくらい意識を失っていたことか、相当ながかったでしょう。気がついてみると月はもう沈《しず》んで、輝《かが》やかしい朝が迫っていました。服は夜露《よつゆ》でしっとり濡《ぬ》れ、袖口《そでぐち》はしたたる出血でべとべとになっています。激しい痛みで前夜の危難をはっきり思いだすと、私はガバとはね起きました。まだ完全に追手をのがれたわけではないのです。あたりを見まわすと驚いたことには、ゆうべの家も庭もなくばらのやぶもありません。私はどこかの往来に接した生垣《いけがき》の角に寝ていたのです。その代りすぐ近くに横にひろい建物が見えましたが、行ってみるとそれは昨日下車したアイフォード駅でした。この手の傷さえなかったら、前夜のあの怖ろしい出来事ぜんたいが、一場の悪夢にすぎないとしか思われません。

半ば夢《ゆめ》みごこちで私は駅へ入ってゆき、朝の列車のことを訊《き》いてみました。一時間たらず待てばレディング行きが出るといいます。ゆうべのポーターの姿がみえましたから、ライサンダー・スターク大佐という名を聞いたことがあるかと訊《たず》ねますと、知らぬと答えました。ではゆうべ馬車が駅前に待っていたはずだがと申しますと、それも気がつかなかったという返事です。警察は三マイルばかりのところに一つあるとの話でした。

疲《つか》れて弱っている身に三マイルは無理です。このまま汽車の出るのを待って、ロンドンへ帰ってから警察へ訴《うった》え出ようと私は肚《はら》をきめました。ロンドンへ着いたのが六時すぎで、まず第一に傷の手当てをうけにゆきましたところ、親切にも先生がわざわざここへお連れくださったというわけです。この事件はあなたにお委《まか》せします。すべてあなたのお指図どおりにする気でおります」

あんまり異様な話なので、終っても私たちは、しばらく無言のままだった。ややあってホームズが分厚い切抜帳《きりぬきちょう》を一冊棚《たな》からとりおろした。

「ここに面白《おもしろ》い広告がありますよ。一年ばかりまえ、たいていの新聞には出たものですが、あなたは特に興味があるでしょうから、ちょっと読んでみましょう。――尋《たず》ね人、水力技師ジェリマイア・ヘイリング、二十六歳、今月九日午後十時下宿を出たまま帰らず。着衣は云々《うんぬん》、云々だが、ははあ、これがこの前大佐が機械の故障を直した時日を示すものらしいですね」

「あッ、それであの女のいったことがわかります」

「そうですとも。これでみても大佐が、腕《うで》のいい海賊《かいぞく》は襲《おそ》った船に決して生存者を残さなかったように、自分の仕事の邪魔《じゃま》になるものは絶対に存在を許さぬという極悪《ごくあく》非道な人物なのがわかります。これは一刻を争います。さ、辛抱《しんぼう》ができるようでしたら、すぐにもアイフォードへ行く前の手順として、これから警視庁へ行きましょう」

それから三時間あまりの後、私たちはバークシャーの小さな村アイフォードへ行くため、レディング行きの汽車に納まっていた。一行はシャーロック・ホームズ、水力技師ヴィクター・ハザリー、警視庁のブラッドストリート警部と刑事《けいじ》一名、それに私である。警部は座席のうえに目的地附近《ふきん》の陸地測量部地図をひろげて、アイフォードを中心にコンパスをぐるぐる廻すのに忙《いそが》しい。

「できましたよ。これがアイフォードを中心に十マイル半径で描《えが》いた円です。目ざす場所はこの円周の附近になければならない。あなた、たしか十マイルといいましたね？」

「たっぷり一時間はかかりました」

「気がついてみたら、わざわざ駅の附近まで運ばれてきていたというのですね？」

「それに違いありませんよ。そういえば夢のなかでどこかへ担《かつ》いでゆかれるような、ぼんやりした記憶《きおく》があります」

「私はどうもわからないのですが」とこれは私だ。「庭で気を失って倒れているものを、何だって彼《かれ》らは助けたのでしょう？　その女の嘆願《たんがん》で、気が折れたとでもいうのでしょうか？」

「そんなことはあり得ないと思います。あんな残忍冷酷《ざんにんれいこく》な顔はみたことがありませんよ」

「そんなことはいずれわかりますよ。とにかく円を描きましたが、目ざす奴《やつ》らがこの円のどのへんにいるか、私はそれが早く知りたいだけです」とブラッドストリートがまた話を戻《もど》した。

「僕《ぼく》にはその位置なら指差せると思う」ホームズが静かにいった。

「えッ、もうですか？」警部はたちまち眼を丸くして、「もう推定ができたんですね？　じゃ誰が当てるかやってみましょう。私は南だと思う。こっちのほうが寂《さび》しい地方です」

「私は東だと思います」水力技師がいった。

「私は西です。西には静かで小さな村がいくつもあります」これは刑事だ。

「私は北説です」最後にこれは私。「というのは、こっちには山がないからですが、ハザリーさんは馬車が一度も登り坂へかからなかったとおっしゃるんですからね」

「ハハハハ」警部は愉快《ゆかい》そうに笑って、「これはひどく意見が分れましたね。四人で東西南北をみんないっちまった。ホームズさんは決定投票《キャスチング・ヴォート》をどこへ入れますね？」

「みんな違っていますよ」

「みんなという事はないでしょう」

「いいえ、みんなです。私はここを指摘《してき》する。ここが彼らのいるところです」ホームズは円の中心を指で押《おさ》えた。

「だって十二マイルも走ったのに？」ハザリーは荒《あら》い息をした。

「六マイルいって、六マイル帰る。これほど簡単なことはありません。乗るとき馬が元気でつやつやしていたといいましたね？　悪い路《みち》を十二マイルも走ってきたものなら、そんなはずはありません」

「なるほど、やりそうな悪智恵《わるぢえ》だ。むろんこのギャングの性格については、疑いないのだから……」ブラッドストリートは考えこんだ。

「そうですとも」ホームズが引きとって、「大仕掛《おおじか》けな贋金《にせがね》づくりだ。あの機械は銀の代りに合金《アマルガム》を使って型をつけるためのものなんだ」

「巧妙《こうみょう》な贋金づくりの一味があることは、よほど前からわかっていたのです。半クラウンの偽銀貨《にせぎんか》を大仕掛けにこしらえる奴でね、失踪跡《しっそうあと》をたぐってレディングまではいったが、残念ながらそれから先がわからなかった。そのときの行方《ゆくえ》のくらましかたをみても、よほど巧妙な奴でした。しかしこの事件のおかげで、こんどこそ積年の恨《うら》みがはらせると思うと、まったくありがたいですよ」

だが警部は見込《みこ》みちがいをしていた。犯人たちは法の手にかかるような奴ではなかったのである。列車がアイフォードの駅へ入ってゆくとき、附近の小さな林のかげから、巨大《きょだい》な煙《けむり》の柱がもくもくと空たかくあがって、まるで大きな駝鳥《だちょう》の羽根を立てたような光景を呈《てい》していた。

「火事ですか？」降りた列車が進行をはじめたとき、警部が駅長にたずねた。

「ええ、そうなんです」

「いつから燃えだしたんです？」

「ゆうべからだそうですが、だんだん大きくなって、全焼になりました」

「誰《だれ》の家です？」

「ベッカー博士の家です」

「ベッカー博士ってドイツ人で、ひどく痩せて鼻の尖《とが》った人じゃありませんか？」ハザリーが横あいから訊ねた。

「いいえ、ベッカー博士はイギリス人ですよ」駅長は大笑いして、「この教区であの人ほど太いチョッキを着る人はいないでしょうな。もっともあの人の家にいる紳士《しんし》なら、患者《かんじゃ》だといいますが、外国人でね、バークシャー名物の上等の肉を少し食べさせたいくらい痩せていますがね」

駅長の言葉をみなまで聞かずに、私たちは火事場のほうへ駈けだしていた。路はなだらかにちょっとした高台へ登っていた。登りきると眼のまえに大きな白ぬりの家が、窓という窓、隙間《すきま》という隙間から火を噴《ふ》きながら、さかんに燃えていた。前庭に蒸気ポンプが三台ならんでいて、火勢を鎮《しず》めようと努力するが、何の甲斐《かい》もないらしい。

「これです！　玄関《げんかん》まえの砂利《じゃり》路もあります。私の倒れたばらのやぶもあります。あの二番目の窓が私のとび降りたところです！」ハザリーが逆上気味に叫んだ。

「少なくとも、これであなたの復讐《ふくしゅう》はなったわけです」ホームズがいった。「あなたのおいてきた石油ランプが圧搾《あっさく》機のなかで潰《つぶ》されて、木の壁《かべ》に燃えうつったため大事《だいじ》になったのです。彼らはあなたを追うのに夢中で、気がつかないでいたのですね。この群衆のなかにその連中がいやしないか、気をつけていてください。たぶん今ごろは百マイルも遠くへ逃《に》げのびているだろうとは思いますがね」

ホームズの懸念《けねん》は事実となった。この日以来今日《こんにち》にいたるまで、あの美しい異国の女性はもとより、気味のわるいドイツ人もむっつりしたイギリス人のほうも、その消息は杳《よう》として知れないのである。だがそれは後《のち》のこと、その朝はやく一人の農夫が、数人の人と数個のかさばる箱《はこ》をのせた荷馬車が、レディングの方角さして急ぐのを見かけたという。それから先その馬車がどうなったものか、ホームズのすぐれた才能をもってしても、行方を突《つ》きとめるべき何等《なんら》の手掛《てが》りすら発見できなかったのである。

消防士たちは、家のなかの不思議な設備に驚《おどろ》きの眼を見はっていたが、三階の窓のふちに切りとられたばかりの生々しい人間の親指を発見したときは、いよいよ騒《さわ》ぎが大きくなった。

陽《ひ》のおちるころにはそれでも彼らの努力が功を奏して、火勢だけはどうにか鎮めたが、そのときはもう屋根はおちるし、家のなかはすっかり焼けてしまい、残っているのは捩《ねじ》れた鉄管やシリンダーの類《たぐい》だけで、わが水力技師からかくも高価な支払《しはら》いをとったかの機械は、あとかたもなくなっていた。倉庫のなかからニッケルと錫《すず》の大量貯蔵は発見されたけれども、貨幣《かへい》は一枚も出てこなかった。それはすでに運び去られたというあのかさばった大箱で説明がつくだろう。

ハザリーは庭から意識を回復した場所までどうして運ばれたか。これも永久の謎《なぞ》として残されるところであったが、幸いにして庭の軟《やわら》かい土がいとも明瞭《めいりょう》に説明してくれた。彼は二人の人物——著《いちじる》しく小さい足の持主と、なみはずれて大きい足の持主によって運ばれていた。思うにあの瘦せた男よりも図太さと凶悪《きょうあく》さにおいていくぶん劣《おと》るむっつり屋の肥《ふと》った男が、女を手つだって、危くない場所まで運んで棄《す》てたものだろう。

「やれやれとんだ割のわるい仕事でしたよ。親指はなくなるし、五十ギニーの報酬《ほうしゅう》はフイにするし、それで得るところといったら……」帰りの列車におちついたとき、ハザリーが口惜《くや》しそうにいった。

「経験です」ホームズがすかさず笑っていった。「経験は間接的に役立つものです。それをただ言葉にして話しさえすれば、今後一生あなたはすばらしく面白い人だという名声が得られるのです」

——一八九二年三月　『ストランド』誌発表——

# 緑柱石《ベリル》の宝冠《ほうかん》

「やア、ホームズ、頭がおかしいのがやってくるよ。あんなものを家族が独りで外へ出すなんて、しょうがないなあ」

ある朝、張りだし窓のところに立って、表を見おろしていた私は頓狂《とんきょう》な声をあげた。ホームズは肘掛椅子《ひじかけいす》からのっそり立ってきて、ガウンのポケットに両手を突込《つっこ》んだまま、私の肩《かた》ごしに見おろした。からりと晴れた二月のある朝のことで、前の日の雪がまだ地上を厚く覆《おお》っており、それが冬の陽《ひ》にギラギラと輝《かが》やいていた。ベーカー街もまんなかの部分だけは往《ゆ》き交《か》う馬車に捏《こ》ねかえされて、泥《どろ》いろの帯の一条《ひとすじ》となっているが、その両がわから歩道のわきへ積みあげたあたりは、まだ降りたてのまっ白さである。歩道はきれいに雪が掻《か》きのけてあるけれど、その鼠《ねずみ》いろの表面はまだ滑《すべ》って危険なので、常よりも通る人は少なかった。現にいまも中央駅の方角から歩いてくるのは、その奇《き》行紳士《こうしんし》がたった一人あるだけである。

年のころは五十ばかり、背のたかいどっしりした男で、大柄《おおがら》のくっきりした顔の、堂々たる押しだしである。それが黒のフロックにシルクハット、仕立のよい銀鼠いろのズボンの下から茶いろのスパッツがのぞいているという、くすんではいるがずいぶんと立派な服装《みなり》で奇行を演じているのだから、威厳《いげん》ある容貌風采《ようぼうふうさい》に対比していっそう人目を惹《ひ》こうというものである。けんめいに走るかと思うと、ふだん脚《あし》を使いなれないものが疲《つか》れてやるように、ときどき歩をゆるめる。そしてまた走りだしながら、両手をぐいぐい上下に動かし、はげしく首をふり、途方《とほう》もなく顔をしかめたりしているのだ。

「いったいあの男はどうしたんだろう」と私はきいた。「家々の標札《ひょうさつ》を見あげているよ」

「ここへ来るのだと思うね」ホームズはうれしそうに手をこすり合せた。

「ここへ？」

「そうさ。何か事件をもって、僕《ぼく》のところへ相談に来たのだと思う。どうもその気配が見える。ね、そら！」

このときその男はハアハア息を切らしながら、私たちの家の戸口の石段を駈《か》けあがって、家じゅうへ響《ひび》きわたるほどつよく呼鈴《よびりん》の紐《ひも》を引いたのである。

やがて彼《かれ》はまだフウフウいいながら、私たちの部屋へ通されたが、その悲しみにみち顔に接し、絶望的な眼《め》をみては、私たちの顔から微笑《びしょう》もたちまち消えさり、驚《おどろ》きと気の毒さがそれにとって代った。しばらくは口もきけず、からだを揺《ゆ》すぶったり、髪《かみ》の毛をかきむしったり、彼はほんとうに発狂《はっきょう》するのではないかと思われたが、とつぜん、はげしい勢いで自分の頭を壁《かべ》にぶつけようとしたので、私たちは慌《あわ》てて駈けより、部屋の中央へとつれ戻《もど》した。それからホームズはその男を安楽椅子に落ちつかせ、自分もそばへ腰《こし》をおろして、手をとって軽く叩《たた》きながら、彼が得意とする穏《おだ》やかな調子で客の心をほぐしにかかった。

「何か相談ごとがあっていらしたのでしょう？　何しろ急いでこられたので、疲れていらっしゃるのです。ま、疲れがすこし休まるまで、お静かにしていらっしゃい。休まったら、どんな小さなことでもよく伺《うかが》って、喜んでご相談にのってさしあげます」

客は胸を波うたせながら、しばらくは心を鎮《しず》めようと努めていたが、ハンカチをだして額を拭《ふ》くと、口をきっと結んで改めて私たちのほうへ向きなおり、

「あなたがたは私のことを頭がおかしいと思っていらっしゃるでしょうね？」

「何かたいへんご心配なことがおありなんですね？」ホームズが答えた。

「あるのなんのって！　私は気が狂《くる》ってしまいそうです。それほど思いもかけない、怖《おそ》ろしいことができてしまいました。私はこれまで一度だって人から後指をさされる

ような真似《まね》をしたことはありませんが、それでも公《おおやけ》の不面目ならば敢《あえ》て恐《おそ》れもしません。また一身上の苦悩《くのう》ならば誰《だれ》でも持っていることとです。けれどもこの二つが同時に、しかもこんな怖ろしい形で迫《せま》ってきたのでは、ほんとうに気の狂わぬのが不思議なくらいです。それにこれは私個人の問題ではない。何とかして拾収しなかったら、ある高貴な方の上にまで、ご迷惑《めいわく》がおよぶことになるのです」

「どうぞお心を落着けてください。そしてあなたのお名前や、あなたの身に降りかかった大問題の内容を、詳《くわ》しく聞かせてください」

「私の名は、お聞きおよびかもしれませんが、アレグザンダー・ホールダー――スレッドニードル街のホールダー・アンド・スティーヴンソン銀行のアレグザンダー・ホールダーです」

なるほどホールダー氏ならば、ロンドンの下町《シティ》でも第二位にある民間銀行の頭取として、私たちもその名はよく知っている。このロンドン一流の名士を、かくも苦しい窮地《きゅうち》に陥《おとしい》れたというのは、いったいどんな事件が起ったのだろう？　私たちは好奇心を湧《わ》きたたせ、この客が改めて心をおし鎮めて語りだすのをじっと待った。

「いまは一刻も猶予《ゆうよ》はならぬと思います。だからこそ警部さんから、あなたにもお力《ちから》添《ぞ》えを願うようにとご注意がありましたので、こんなに急いで駈けて参ったのです。

何しろこの雪で馬車はとてものろのろと歩いているのでベーカー街までは地下鉄で来て、そこから自分で駈けだしてきました。そのためこんなに息がきれたのです。何しろふだん運動というものを少しもやらんものですから。でもいまはよほど落着きました。ではできるだけ手みじかに、しかも曖昧《あいまい》なところのないように、事実を申しあげましょう。

むろんご承知のように、この、銀行業で成功するには、預金者の範囲《はんい》を拡張しその数の増加をはかることも肝要《かんよう》ですが、有利な投資物を見つけては、これに投資してゆくということを忘れてはなりません。われわれのほうでは最も利益ある資金運用法の一つとして、確実な担保に対しては貸付をやっておりますが、この数年来この方面へはだいぶ手をひろげまして、絵画、蔵書、金銀器などを担保にかなりの金額を、おおくの貴族がたに用立ててきました。

きのうの朝のことでした。銀行の重役室におりますと行員が一枚の名刺《めいし》を取り次いできましたが、その名前をみて私はびっくりしました。それこそ誰あろう――いや、あなたにもこれだけは、このお方のお名前が世界中の人が知っているとだけしか申しあげないほうがよろしいでしょう――とにかくわが国最高の、最も尊いご身分の方なのです。私はたいへん恐縮《きょうしゅく》しまして、入っていらしたとき早速《さっそく》ご挨拶《あいさつ》申しあげようとしますと、いやな用件は早く片付けてしまいたいといったふうのご様子で、すぐご用談をお切りだしになりました。

『ホールダー君、きみは人に金子《きんす》を用立てると聞いたが？』

『はい、担保さえたしかであれば、銀行は何時《なんどき》でもご用立ていたしております』

『自分はいますぐに五万ポンドの金がどうあっても必要なのだ。僅《わず》かの金のことではあるし、むろん借りようと思えばその十倍でも貸してくれる友人はいくらもあるが、そういう関係をはなれて、しかも手ずから都合をつけたいのだ。自分の地位として、人から恩義をうけるのが賢明《けんめい》でないのは、君もよく理解してくれることと思う』

『失礼ながら期限の点はいかがでございましょうか？』

『来週の月曜日になれば、まとまった金が手に入ることになっておる。さすれば元金に君が至当《しとう》と思うだけの利息をつけて返済することにしよう。だがその金は、いますぐ渡《わた》してもらわなければ困るのだ』

『金額が私個人の力の及《およ》びます範囲内ならば、このうえ何を申しあげましょう。喜んでご用立て致《いた》すのでございますが、残念ながらちと手にあまる金額ですので……銀行としてご用をつとめますには、共同経営者への義務といたしまして、たとえあなた様のおためとは申せ、事務上の手続きを踏《ふ》みませんと……』

『自分としてもそのほうが望ましいのだ』とその方はおっしゃって、膝《ひざ》のそばにおいてあった黒いモロッコ皮のまっ四角なケースをとりあげて、『君はむろん緑柱石《ベリル》の宝冠のことは知っているだろうな？』

『最も貴重な国宝の一つと承《うけたま》わっております』

『その通りだ』とそのお方はケースをあけて肌《はだ》いろビロードの褥《しとね》のなかに埋《う》まっているそのすばらしい宝冠をお示しになりました。

『大きな緑柱石が三十九個ついているし、この金《きん》の彫刻《ちょうこく》だけでも価《あたい》はどれほどだか測りしれないものがある。最も低く見積ってもこの宝冠は自分が要求した金額の二倍の価はあるだろう。これを担保として君に預けておくことにする』

私はケースごと両手で受けとって、少し当惑《とうわく》しながら、宝冠とそれを持ってこられた高貴なお方とを見くらべました。

『価に疑問があるのか？』

『どう仕《つかまつ》りまして！　私はただ……』

『自分がこれを預けてゆくことの妥当《だとう》であるかを疑っているのであろう。そのことならば安心するがよい。四日の後に必ずとり戻せる確信がなければ、自分としてもこれを預けようとは決して思いもよらぬのだ。純然たる形式にすぎぬ。どうだ、担保に不足はないであろうね？』

『それは十分でございます』

『ホールダー君、こんな話をするのも、君のことを聞いて深く信任すればこそであるのは、理解してくれるだろうな。君ならば堅《かた》く秘密を守って、かりそめにも世間の風評になるような軽率《けいそつ》はしないことを信じてもいるし、また、何より大切なことは、万一これが破損でもすると大問題であるから、細心の注意をもってたいせつに保管にあたってくれることと思う。これと釣《つ》り合う緑柱石は世界じゅうを探しても決して求め得られないのだから、万一この三十九個のうち一個でも失うようなことがあると、補《ほ》充《じゅう》は絶対にできぬ。だが君ならば何の懸《け》念《ねん》もなく預けてゆけるのだ。月曜日の朝、自身受けとりに出むいてくるつもりだ』

急いでお帰りになりたいご様子が拝せられますので、私は何も申しあげずに、出納《すいとう》係の行員を呼んで、紙幣《しへい》で五万ポンド差しあげさせました。ところが独りになってから、眼の前のテーブルの上に残された貴い宝冠入りのケースを眺《なが》めていますと、何としても課せられた責任の重大なのに、不安を感じないではいられません。何しろ物が国宝のことですから、もし間違《まちが》いでもあれば恐るべき重大問題となるのは申すまでもありません。とんでもないものを預かったものよと、いまさら後悔《こうかい》しましたが、もはや後の祭りです。ともかく私専用の金庫へたいせつに納めて、ふたたびその日の仕事にとりかかりました。

夕刻になってから、こんな貴重な品を事務所へ残して帰るのは軽率だと、私は気がつきました。銀行の金庫が襲《おそ》われたのは先例もあることです。どうして私の場合だけが安全だとすましていられましょう。万一それが事実となったときは、私の身はどうなります？　ながいことでもないのだから、毎日ケースを持ってかえったり、持ってきたり、いつも身辺からはなさぬことにしようと決心しました。そこで私は辻馬車《つじばしゃ》を呼んでストリータムの私の宅までケースを持って帰りました。そして二階の私の化粧室《けしょうしつ》の箪笥《たんす》におさめて、初めてほっとしました。

事情をよくご了解《りょうかい》ねがうために、ここでちょっと私の家庭のことを申しておく必要があります。馬手と給仕とは外で寝泊《ねとま》りしていますから、これはまったく考慮《こうりょ》にいれずともよいでしょう。ほかにはメイドが三人、これは数年来つとめておりますものばかりで、気心も知れておりますし、絶対に安心してよいと思います。べつにもう一人ルーシー・パーと申しまして第二小間使いがおりますが、これはほんの数カ月まえに雇《やと》いいれましたものでして、立派な推薦状《すいせんじょう》も持っており、働きぶりにも不満なところはありませんけれど、たいへん美しい娘《むすめ》でして、そのためか宅の近所を若い男がうろついていることがあったりしまして、その点がまア疵《きず》と申せば申せましょう。でもまアどこから見ても非のうちどころのない娘だとは思っております。

召使《めしつか》いのほうはそれだけですが、家族は小人数のことで簡単私はやもめ暮《ぐら》しでして、家族といっては息子《むすこ》のアーサーがひとりあるだけです。しかしこのアーサーです。むろん罪は私にあるのでしょう。世間では甘《あま》やかしすぎるから増長するのだと申します。それに違いありますまい。妻に死なれてから、子供しか愛の対象がなくなりました。一瞬《いっしゅん》でも息子の顔が曇《くも》るのは、見るに耐《た》えなかったのです。どんなことでも望みは叶《かな》えてやりました。いまから考えますと、私がもっと厳しくしたほうが、息子のためにも私のためにもよかったのでしょう。でもやっているときは、それが一番よいと信じていたのです。

私としては息子に業務を継《つ》がせるつもりでしたが、息子は実務には向かぬ性質でした。粗暴《そぼう》で気随気儘《きずいきまま》で、ほんとのことを申しますと、とても大金を扱《あつか》わせてはおけぬ奴《やつ》なのです。若いころある貴族的なクラブに入会しまして、人好きのするところから、お金持で金遣《かねづか》いの荒《あら》い人たちとたちまち親しくなってしまいました。そしてカードに大金を賭《か》けることを覚え、競馬に浪費《ろうひ》の味を知り、借金の穴うめに小遣いの前借りを何度も私に無心するようになりました。もっともそうした悪友からは一再ならず遠ざかろうと試みはしたようですが、そのたびに友だちのサー・ジョージ・バーンウェルという男に引戻されてしまう有様でした。

じっさいこのジョージ・バーンウェルという男のため息子が自由にされるのは、何の不思議もありません。息子についてちょいちょい宅へも来たことがありますが、その魅力《みりょく》ある態度にはこの私ですら惹きつけられるくらいでした。年も息子よりは上ですが、世故《せこ》に通じていることは驚くばかり、どこへでも行ったことのないところはなく、どんなものでも見たことのない物はありません。そのうえ話上手で、もう一つ非常に好男子なのです。しかしその魅力の届かぬ場所にいて、冷静によく考えてみますと、冷笑的な話し方といい、あの眼つきといい、少しも信用のおけない人物なのは確かです。その点は宅のメアリーの考えも同じです。メアリーは婦人に特有の、性質を目ざとく見ぬく力をもっていますからね。

話がそれましたが、宅にはもう一人だけ、メアリーと申す娘がおります。私の姪《めい》でして、五年まえに亡《な》くなった兄のたった一人の忘れ遺児《がたみ》として引きとって、実の娘と思って面倒《めんどう》をみてやっております。

メアリーは宅の太陽です。優《やさ》しく愛らしく美しくて、またとないよい家政婦でもあり、それでいて女として非のうちどころのない淑《しと》やかさ、素直《すなお》さがあります。彼女《かのじょ》は私の片腕《かたうで》です。彼女がいてくれなかったら、私はどうしてよいかわかりません。たった一つ彼女が私の思いどおりになってくれなかったのは、息子もたいへん彼女を愛しまして、二度も結婚《けっこん》してくれと申し出たようですが、二度とも彼女がそれを断ったことです。もし息子を改心させうる者があるとすれば、メアリーを措《お》いてほかにはありません。彼女が結婚してさえくれたら、息子の前途も何とかなったかもしれないのに、ああ、いまはもうそれも駄目《だめ》になりました。永久にとり返しのつかない事になってしまいました。

さてホームズさん、私の家庭の構成人員は以上のとおりですが、これからいよいよ本題に入って、災難の話にうつりましょう。

昨晩、客間で夕飯のあとのコーヒーをのみながら、私は息子のアーサーとメアリーとに、その朝の銀行での話——貴い宝冠を預かって現に家へ持ってかえってある次第《しだい》を、そのお方のお名前だけは出しませんが、話してきかせました。コーヒーを持ってきたルーシー・パーがそのときそばにいなかったのは確かですが、部屋のドアが閉っていたかどうかまでは、何しろこんなことになるとは夢《ゆめ》にも思いませんから、注意しませんでした。メアリーもアーサーもその話にたいそう興味をもちまして、ぜひその有名な宝冠が見たいと申しましたが、私はそんなことはしないがよいと思いました。

『どこにしまっていらっしゃるんです？』息子が申します。

『お父さんの簞笥のなかさ』

『じゃ夜、泥棒《どろぼう》が入らなければいいですね』

『ちゃんと錠《じょう》をかってある』

『あんな簞笥、どんな鍵《かぎ》だってあいますよ。現に僕は子供のとき、物置の戸棚《とだな》の鍵であれを開けたことがありますよ』

息子はよくでたらめをいう癖《くせ》がありますので、私はこんな言葉くらい気にもかけませんでした。でもその晩息子は寝室《しんしつ》まで私の後をついてきまして、ひどく真面目《まじめ》な顔つきで伏目《ふしめ》がちにこんなことをいいました。

『ねえお父さん、二百ポンドだけ頂きたいんですけれど……』

『いいや、ならぬ。お金では少し甘くしすぎたと思ってるくらいだ』私は叱《しか》りつけました。

『今までもずいぶんよくしていただいたのは知っていますけれど、このお金だけはぜひ出していただかないと、クラブへ二度と顔だしができなくなってしまうんです』

『それは却《かえ》って好都合じゃないか』

『それもそうですけれど、不名誉《ふめいよ》な除名処分をうけさせてまで退会させようとはおっしゃらないでしょう？　いいえ、私はそんな屈辱《くつじょく》には耐えられません。どうあってもこのお金だけは何とかしなければならないのです。お父さんが下さらなければ、何とか別のほうをあたってみるだけです』

お金をくれというのは今月になってこれで三度目ですから、私はすっかり腹をたてました。

『一文だってやることはならん』どなりつけてやりますと、息子は黙《だま》って頭をさげて出てゆきました。

息子がいなくなると、私は箪笥をあけて宝冠《ほうかん》が無事なのを確かめてから、またそのひきだしに鍵をかけておきました。それから家の中の戸締《とじま》りを見に出かけました。これはふだんメアリーの役になっているのですけれど、昨晩ばかりは自分で確かめておいたほうがよいと思ったのです。階段を降りてゆきますと、メアリーがホールの横窓のところにいるのが見えました。行ってみると彼女はちょうどそれを閉めて締りをしたところです。

『ねえお父さま、今晩ルーシーに外出をお許しになりましたの？』彼女は何となく不安そうな顔でそわそわしています。

『いいや、そんなこと知らないよ』

『いま裏口から戻《もど》ってきましたわ。誰かに会いに裏門のところまで行っただけとは思いますけれど、でも不用心ですから、これからはあんなことさせない方がよいと思います』

『あすの朝お前からよくいうのだね。何なら私からいってあげてもよいが、――戸締りはすっかりいいのかい？』

『ええ、すっかり見てまわりましたわ』

『じゃおやすみ』私はメアリーにキスして寝室へゆき、まもなく眠《ねむ》ってしまいました。

ホームズさん、関係のありそうなことは残らず申しあげているつもりですが、もしはっきりしない点がありましたら、どうぞ何なりとお訊《たず》ねください」

「どう致しまして、お話はたいそうはっきりしています」

「さてそれでは、いよいよこれからが特にはっきりと申しあげなければならないところです。私はいったい割合に眼《め》ざといほうですが、昨晩は気にかかることがあるためか、いっそう眼ざとくなっていたようです。午前二時ころでしたろうか、ふと家の中の物音で眼がさめました。はっきり覚めたときには、物音はもう止《や》んでいましたが、どうやらどこかで窓を静かに閉めた音らしく思われます。

私は横になったままじっときき耳をたてていました。すると突然《とつぜん》、次の間で静かな足音がはっきり聞えましたので、ハッとしました。そっと寝床《ねどこ》をすべり降りて、怖ろしさで胸をとどろかせながら、ドアの隙間《すきま》から化粧室をじっと覗《のぞ》きました。『こらッ！　泥棒！『アーサー！　こらッ！』私はかッとなってどなりつけました。宝冠に手をつけるとは太い奴だ！』

ガス灯は私が寝る前にそうしておいた通り、ほの暗くともっています。そのそばに不孝者はズボンにシャツ一枚という姿で、宝冠を手にして突立《つった》っているのです。何でもそれをウンウン捩《ね》じ曲げようとでもしていた様子ですが、私の声に驚《おどろ》いて宝冠をとり落し、死人のようにまっ青になりました。私はすぐに宝冠を拾いあげて、検《あら》ためてみました。冠《かんむり》の金地の一角が、そこについていた三個の緑柱石ぐるみ折りとられて、なくなっています。

『このナラズ者め、よくもこわしおったなッ！　親の顔に泥をぬりくさって！　盗《ぬす》んだ宝石をどこへやったッ？』私ははげしい怒《いか》りのため気も狂いそうでした。

『盗んだ宝石ですって？』

『盗《と》ったじゃないか、この泥棒め！』私は息子の肩《かた》に手をかけて、ゆすぶってやりました。

『なくなってなぞいやしません。そんなはずないです』

『緑柱石が三つないじゃないか。それをどこへやったか、覚えがないとはいわせないぞ！　泥棒したうえ、親にむかって嘘《うそ》までつく気か！　いま現に、もう一角《かど》欠きとろうとしていたではないか！』

『泥棒だの嘘つきだのって、そんなにののしられてはもうがまんができません。こんな侮辱《ぶじょく》をうけては、このことについてもう何もいう気がしなくなりました。夜のあけ次第、こんな家は出てしまいます。そして自分で何とか生活の方法を講じることにします』

『出るなら出てゆけ。お父さんは警察に届けでて、徹底《てってい》的に詮議《せんぎ》してもらわずにはおかないぞ』私は心痛と腹立たしさで半狂乱《はんきょうらん》です。

『いくら騒《さわ》いだって、これは私の知ったことじゃありませんよ。警察へお届けになりたきゃ、お届けになって調べてもらったらよいでしょう』息子は日ごろの性質にも似ず、憤然《ふんぜん》としていい切りました。

私が立腹のあまり大きな声をだしたので、このときはもう家の中の者がみんな起きだしていました。まっ先に駈《か》けつけたのはメアリーで、宝冠と息子の顔つきをみると、ひと目でその場の様子をさとり、あッといったきり失神してしまいました。私はすぐにメイドを警察へ走らせて、いっさいを警察の調べにゆだねました。

警部が巡査《じゅんさ》を一名従えて入ってきたとき、それまで腕組みしてむっつり突立っていた息子は、自分を泥棒として警部に引渡すつもりかと訊ねました。毀損《きそん》された宝冠が国宝である以上、もはやこれは一家内の私事ではなく、表沙汰《おもてざた》にすべき問題だと私はいい聞かせました。私はすべてを法の裁きにまかせようと決心していたのです。すると息子がいいました。

『一つだけお願いがあります。ここですぐ私を捕《とら》えるのは見合せてください。たった五分間だけ私を外に出してくだされば、私のためはもとよりのこと、お父さまのためにもたいへん有利だと思うのです』

『逃《に》げようというのか、それとも盗んだものを隠《かく》そうというのだろう』

といいましたが私はこのとき、自分が恐《おそ》るべき羽目に陥《おちい》っているのを痛感して、言葉を改めて息子をかき口説きました。これは単に私個人の名誉の問題ではなく、私よりもはるかに名誉ある高貴なお方のお名に係わること、息子のしたことは全国民を震《しん》撼《かん》させるものであることを説き聞かせ、この三つの宝石をどこへやったか、それさえ打ちあけてくれたら何事もなくてすむのだからと、口を酸《すっぱ》くして口説いたのです。

『男らしくしたらどうだ。現場を見つかったのではないか。白状したからといって、罪が重くなるものではない。あの緑柱石がどこにあるか、せめての償《つぐな》いにそれをいってくれてもよいではないか。そうすればこの罪も許そうし、いっさいを水に流して忘れてあげよう』

『私はなにも許していただくことなんかありませんよ』

そういったきり息子は横をむいて冷笑をうかべました。こう依怙地《いこじ》になっては、もはや私から何といったとて無益です。残された道は一つしかありません。私は警部を呼びいれて、息子を引渡してしまいました。すぐに捜査《そうさ》です。息子の身体検査はむろんのこと、部屋も調べますし、そのほかここと思う場所は全部、家中のこる隈《くま》なくあたってみましたが、どこにも宝石は見あたりません。賺《すか》したり脅《おど》したりもしてみましたが、息子は頑《がん》として口をわりません。

けさになってから、息子は改めて留置場へ送られましたが、そのあとで私は警察の手続きをすっかりすませてから、あなたの手腕《しゅわん》でなんとか解決していただくことを嘆《たん》願《がん》しに、急いで伺《うかが》った次第なのです。警察では今のところいっこう見こみもないと、はっきり言明しています。どんなに費用がかかっても厭《いと》いません。すでに千ポンドの懸賞金《けんしょうきん》を申してであるくらいです。ああ私はどうしたらよいのでしょう？　名誉と宝石と息子とを、ひと晩でなくしてしまいました。ああ、何としたらよいのでしょう？」

話し終って銀行家アレグザンダー・ホールダー氏は、頭の横を両手でおさえてからだを前後にゆすぶりながら、子供が悲しくてたまらないときやるように、唸《うな》り声をあげた。

ホームズは眉《まゆ》をよせて、しばらくは無言のまま暖炉《だんろ》の火をじっと見つめていたが、

「お宅はお客の多いほうですか？」

「いいえ、銀行の共同経営者が家族づれでくるほかは、息子の友人がちょいちょい来るくらいのもので、ことに最近はサー・ジョージ・バーンウェルがよく来ていたようですが、ほかにはほとんどくる人はありませんね」

「あなたは社交のため、しょっちゅうお出かけですか？」

「息子はよく出かけますが、私とメアリーはあまり出ません。社交にはまったく趣味《しゅみ》がないものですから」

「若いご婦人には珍《めず》らしいですね」

「メアリーはおとなしい気質なのです。それに若いと申しても二十四ですからね」

「お話によれば、お嬢《じょう》さんもたいへんびっくりなさったそうですね？」

「可哀《かわい》そうなくらいでした。むしろ私よりも強いショックを受けたでしょう」

「アーサー君の仕業《しわざ》だという点で、お二人の意見は一致《いっち》しているのですか？」

「もちろんです。現に彼《かれ》が宝冠を手にしているところを、この眼ではっきり認めたのですからね」

「ただそれだけでは動かぬ証拠《しょうこ》とはいえませんね。宝冠は角が一つとれているだけで、ほかは何ともなかったのですか？」

「すこし捩《ねじ》れていました」

「ではアーサー君は、それをまっ直《すぐ》になおそうとしていたのじゃないでしょうか？」

「な、なんですって？　息子のため私のためを思って、そんなことをいってくださるのでしょうが、それはちと無理でしょう。いったい息子は何用あってあの場所にいたのでしょう。もし身に覚えのないことなら、何をしていたのか、はっきりいったらよいではありませんか」

「それはそうです。しかし一方からいえば、身に覚えがあるのなら、何とかうまい言い逃《のが》れを考えそうなものともいえますね。それを黙っているというのは、私には二様の意味にとれるのです。そのほか腑《ふ》におちぬ点もいくつかありますが、あなたの眼をさました物音を、警察ではどんなふうに解しているのですか？」

「アーサーが自分の寝室のドアを閉めた音だろうとのことでした」

「ふん、もっともらしい説明をこじつけましたね。泥棒をしようという者が、わざとバタンとドアを閉めて、家の者を起すなんざ面白《おもしろ》いじゃないですか。では宝石が見つからぬことは、なんといっていますか？」

「羽目板を叩《たた》いてみたり、家具類を念入りに調べたり、まだしきりに探していますよ」

「家の外を調べることには気がつかないのですか？」

「やりましたとも。異常な精進《しょうじん》ぶりを発揮して、庭じゅう細かに調べあげました」

「よくわかりました。ところでホールダーさん、この事件はあなたや警察の考えておられるよりも、はるかに複雑な内容をもっているのがおわかりですか？　あなたがたはごく簡単に考えておられるようですが、私はそうは思いません。試みにあなたの推定をようく吟味《ぎんみ》してごらんなさい。アーサー君はまず寝床をでて、非常な危険を冒《おか》してあなたの化粧室へゆき、簞笥《たんす》をあけ、宝冠をとりだしてむりにその一部をもぎとり、どこかへいって三十九個のうちもぎとった三個だけを、誰《だれ》にも見つからぬ場所へ巧妙《こうみょう》に匿《かく》し、残り三十六個の緑柱石のついた宝冠をもって、見つけられる危険のきわめて多いもとの化粧室へ戻ってきた——ということになりますが、いったいこんな推定がどこまで持ちこたえられると思います？」

「でもほかに説明のつけようがありますまい」ホールダー氏は絶望の身ぶりで叫《さけ》んだ。

「うしろめたくないのでしたら、申しひらきをしたらよいではありませんか」

「そこを明らかにするのが私たちの仕事です。ついてはホールダーさん、お差支《さしつか》えなければこれからご一緒《いっしょ》にストリータムのお宅まで伺って、一時間ばかり詳《くわ》しく調べさせていただこうじゃありませんか」

ホームズがしきりに勧めるし、私としても話を聞くうち非常に同情も湧《わ》き、好奇心《こうきしん》も煽《あお》りたてられたので、大いに乗り気で同行することにした。じつをいうと私自身は、この気の毒な父親と同じ意見で、アーサーの犯行にちがいないと思う。しかし一面からいうと、その判断に平素から大きな信頼《しんらい》をおいているホームズが、この説明で満足せぬとすれば、何かそこに一縷《いちる》の希望があるのに違《ちが》いないとも思ったのである。

ロンドン南方の郊外地ストリータムへ着くまで、ホームズはひとことも口をきかず、帽子《ぼうし》を目《ま》ぶかにひき下げて、うなだれて深く考えこんでのみいた。ホールダー氏はホームズの話でかすかながら希望を認め、すこし元気づいたとみえ、職業上の話など取りとめもなく私に語りきかせたりした。しばらく汽車にのり、それからすこし歩くと、この大銀行家の質素な邸宅《ていたく》フェアバンク荘《そう》だった。

フェアバンク荘は道路から少し引込めて建てられた白い石造の、かなりの大きさの四角な家で、雪に覆《おお》われた芝生《しばふ》をはさんで、二枚の大きな扉《とびら》をもつ鉄門から玄関《げんかん》にいたるまで、二条《ふたすじ》の馬車路《ばしゃみち》が左右に彎曲《わんきょく》している。門を入ると右手に小さな植込みがあり、きちんと刈《か》りこんだ生垣《いけがき》を両がわにした小路が勝手口へとつながり、出入商人の通路となっていた。左手は厩《うまや》に通じる小路だが、それはもはや邸外で、人通りこそまれだが公道になっていた。

ホームズは私たちを玄関さきへ残しておいて、静かに家のまわりを歩いていった。商人通路を勝手口のほうへ、それから裏庭をまわって厩の小路のほうへと出ていった。あまりおそいので私たちは中へ入り、食堂で暖炉にあたりながら彼の入ってくるのを待った。べつだん話はしていなかったが、そこへドアをあけて若い婦人がひとり入ってきた。背はやや高くて、ほっそりした体格、髪《かみ》も眼も黒っぽいほうだが、顔いろがひどく青白いため、いっそうそれが目だった。

私は女の顔のこうまで青白いのを見たことがない。唇《くちびる》までまるきり血の気はないのに、二つの眼ばかりは泣き腫《は》れてまっ赤だった。それが何もいわずに静かに入ってきたのだから、ホールダー氏が私たちの部屋へ入ってきたときよりも、いっそう悲しげで傷《いた》ましかった。しかも強い自制力をもつ気丈《きじょう》な婦人と見うけられるだけに、その傷ましい感じはますます深められたのである。

彼女《かのじょ》は私のいるのには目もくれず、まっすぐにホールダー氏のところへいって、頭のうえから手をまわして女らしいやさしさで叔父《おじ》を抱擁《ほうよう》した。

「お父さま、アーサーを自由の身にするように頼《たの》んでくださったのでしょうね？」

「いいや、こんどのことは徹底的に詮議しなければならんのだ」

「でもアーサーに決して罪はありませんのよ。お父さまは女の直観というものをご存じでしょ。アーサーは決して悪いことはしていません。だのにそんなにひどくなさると、お父さまきっと後悔《こうかい》なさいますわ」

「じゃなぜ黙っているのだろう。身に覚えもないのに？」

「それはわかりません。いいえ、お父さまに疑ぐられたのですっかり怒《おこ》ってしまったのですわ」

「疑ぐるといって、現に宝冠を手にしているのをこの眼で見たのだから、疑ぐらずにはいられないじゃないか」

「いいえ、アーサーはちょっと手にとって、よく見ようとしただけですわ。ねえお父さま、どうぞアーサーの潔白を信じてください。そしてもうこんなことは忘れて、何もおっしゃらないでくださいまし。アーサーが牢《ろう》へ入るなんて、考えただけでもぞっとしますわ」

「いいや、宝石が見つかるまでは、何としても済まされぬ。おまえはアーサーのことを思うあまり、私がそのためどんなに困るか、それがおわかりでない。いやいや、このまま済ますどころか、もっとよく調べていただくため私はロンドンからあるお方をお連れ申したくらいなのだ」

「このお方でございますの？」彼女は私のほうを振《ふ》りかえった。

「いいやこのお方のお友だちでな、独りで調べたいからって、いま厩の小路のほうにいらっしゃるはずだ」

「厩の小路に？」と彼女は濃《こ》い眉《まゆ》をあげて、「あんなところに何があるのでしょう？あら、入っていらしったようですわ。このお方ね？あの、あなたは私の信じていますことを、従兄《いとこ》のアーサーが無実だということを、きっと証明してくださいますわね」

「ええ私もまったく同じ意見でしてね、きっと証明《あかし》はたててあげられると思っていますよ」といったがホームズは、靴《くつ》に雪のついているのに気がついて、靴拭《くつふ》きのほうへ引返してゆきながら、「あなたがメアリー・ホールダーさんでいらっしゃいますね？少しお訊《たず》ねしたいことがあるのですが……」

「はい、この怖《おそ》ろしい問題が片づきますのでしたら、何なりとどうぞお訊ねくださいまし」

「あなたは昨晩なにも物音はお聞きになりませんね？」

「はい、ここにいます叔父が大声をたてましたので、はじめて出てみたのでございます」

「昨晩はあなたが窓やドアをお閉めになったそうですが、窓は残らず締《しま》りをなすったのでしょうね？」

「はい」

「けさ見たとき、みんな締りがしてありましたか？」

「はい」

「お宅には愛人のいる小間使いがいますね？　昨晩叔父さまに、その小間使いが愛人に会いに外へ出たとかおっしゃったそうですね？」

「はい。その小間使いでしたらお客間が受けもちでございますから、叔父が宝冠の話をいたすのを聞いていたかもしれません」

「なるほど。それで彼女がそのことを教えに出てゆき、二人で泥棒の相談をしたかもしれぬとおっしゃるのですね？」

「もし、そんな曖昧《あいまい》な想像が何になります？」ホールダー氏がもどかしげに叫んだ。

「現にアーサーが宝冠を持っているところを、この眼でちゃんと見届けたと申しているではありませんか！」

「ま、ちょっとお待ちください。いまのお話ですが、メアリーさん、あなたのご覧になったのは、小間使いが台所口から戻《もど》ってくるところだったのですね？」

「はい。戸締りを見に参りますと、小間使いがそっと入ってきますところで、外の暗いところに男の立っているのも見えました」

「誰だったかご存じですか？」

「はい、お野菜を持って参ります八百屋の男で、名前はフランシス・プロスパーとか申しました」

「ドアの左がわ、つまり小路を入ってきて、入口を通りすぎた側に立っていたでしょう？」

「はい、その通りでございます」

「そして片脚《かたあし》が木の棒の義足ですね」

恐怖《きょうふ》に似たものが、メアリーのよく物いう黒い眼にうかんだ。

「まア、まるで魔法《まほう》つかいのようですわ。どうしておわかりになりますの？」

彼女は微笑《ほほえ》んだけれど、ホームズの真剣《しんけん》な痩《や》せた顔にはほんのかすかな笑いも見られなかった。

「それではこれから二階を拝見しましょう。そして都合でもう一度外を見せていただくことになるでしょうが、その前にちょっと階下《した》の窓を見せていただきます」

彼は窓を一つ一つ足ばやに見てまわったが、とくにホールの横の、厩の小路の見える大きい窓だけは少し念入りだった。すなわちそれを開けて、窓敷居《まどじきい》を強力な拡大鏡できわめて細心に検査したのである。

「さ、それでは二階へ参りましょう」

ホールダー氏の化粧室《けしょうしつ》というのは、グレイのカーペットをしいた簡素な小さい部屋で、大箪笥が一つと長い鏡が一面おいてあった。ホームズはまずこの大箪笥の前へいって、錠前《じょうまえ》をていねいに検《あら》ためた。

「どの鍵《かぎ》を使うのですか？」

「息子の申したとおり、物置の戸棚《とだな》の鍵を使います」

「いまお持ちですか」

「その化粧台の上にあるのがそれです」

ホームズは鍵をとって、箪笥をあけてみて、

「音のしない錠前ですね。だからこれではお眼《め》がさめなかったのです。このケースに宝冠《ほうかん》が入っているのですね。ちょっと拝見しましょう」

彼はケースをあけて宝冠をとりだし、テーブルの上においた。じっに工匠《こうしょう》の技巧の極致を示す素晴らしいもので、三十六個の緑柱石は目のさめるほど美しかった。しかもその美しい宝冠の一方は醜《みにく》く損じられ、三個の緑柱石とともにその一角がもぎとられているのである。

「ねえホールダーさん、ここの一角はなくなった一角と対《つい》になっているのですが、ちょっとこれをもぎとってみていただけませんか」

「と、とんでもない！」ホールダー氏は眼を丸くして尻《しり》ごみした。

「では私がやってみましょう」ホームズは両手にぐいと急に力をいれたが、宝冠はびくともしなかった。「少しはたわんだかしら。いったい私は手先の力は特別に強いのですが、それですらこれをもぎとるのは、ちょっとむずかしいです。まして普通《ふつう》の人には曲げられもしません。それを、いま私が無理にもぎとったとしたら、どんなことになると思います？　ピストルでも撃《う》ったような大きな音がしますよ。寝床《ねどこ》から僅《わず》か数ヤードのところでそんなことがあって、しかもあなたはそれに気づかなかったというのですか？」

「何が何やら私にはさっぱりわかりません」

「いまにおわかりでしょう。メアリーさんはどうお考えになりますか？」

「私も叔父とおなじで、皆目《かいもく》なにもわかりません」

「あなたが起きてみたとき、アーサー君は靴もスリッパも穿《は》いていなかったのですか、ホールダーさん？」

「ズボンとシャツのほかは何も着けていませんでした」

「ありがとう。それではもう一度外部を見させていただきましょう。この調べのうちに、たいへんな幸運にめぐまれましたから、これでもしこの事件の解明が不成功に終りでもしたら、それこそこっちが悪いというものですよ」

足跡《あしあと》が荒《あら》されると仕事が面倒《めんどう》になるからといって、彼は独りで外を調べにいった。その調べは一時間あまりもかかったろうか、足を雪だらけにして、あい変らず海のものとも山のものともつかぬ顔つきで彼は帰ってきた。

「見るべきところはこれで一通り拝見しつくしました。あとは家へ帰ってから、よく調べて差しあげましょう」

「で宝石は？　どこにありましょうか？」

「それはわかりません」

「ああ、とても出ては来ますまい。そして息子はどうなります？　希望はありましょうか？」ホールダー氏は両手を搾《しぼ》るような恰好《かっこう》をした。

「私の意見は変りません」

「それでは昨夜この家の中でおきた悪事の真相は、いったいどうだとおっしゃるので？」

「明朝九時から十時までの間に、ベーカー街の私の家をお訪ねくだされば、もっとはっきりした事をお話しできるかと思います。それについては緑柱石をとり戻《もど》すという条件のもとに、私に全権をおまかせくださったうえ、費用の点もいっさい制限をもうけないことにしていただけますでしょうね？」

「あれがとり戻せさえしたら、全財産を投げだしてもかまいません」

「よくわかりました。明朝までに十分調べるとしましょう。ではこれで。ひょっとすると夕刻までにもう一度伺うようになるかもしれませんが」

　ホームズがどんな結論を得ているのか、私にはその片鱗《へんりん》をも窺《うかが》い知ることはできなかったが、とにかく何か心に期するところのあることだけは明らかだった。かえりの途《みち》すがら何度もその問題を打診《だしん》してみたが、そのたびに彼《かれ》が話をそらしてしまうので、残念ながらついに断念するほかはなかった。

　ベーカー街へ帰りついたのは三時前だった。ホームズは急いで寝室《しんしつ》へとびこんだと思うと、二、三分でありふれた浮浪者《ふろうしゃ》になって出てきた。ボロ服の襟《えり》をたて、赤いネッカチーフを巻きつけ、擦《す》りきれたみすぼらしい外套《がいとう》に破れ靴、どうみても完全に浮浪者になりきっていた。

「これならよかろう」と彼は暖炉の上の鏡をちらと見て、「君をつれてゆけるといいのだが、どうも具合のわるいことがあってね。僕《ぼく》の手繰《たぐ》っているのが果して本筋であるか、それとも狐火《きつねび》に踊《おど》らされているのか、行ってみなければわからない。二、三時間でかえってくるよ」

彼は食器戸棚の上で牛肉の大きな塊《かたま》りからうすく一片《いっぺん》切りとって、輪切りのパンの間にはさみ、その粗末《そまつ》なサンドイッチの弁当をポケットへねじこんで、捜査《そうさ》の遠征《えんせい》にと出かけていった。

ホームズが帰ったのは、私が午後のお茶をすませたばかりのところだった。たいへんな上機嫌《じょうきげん》で、手にした古い深ゴム靴をぶらぶらさせながら入ってくると、それを部屋の隅《すみ》へ放《ほう》りだしておいて、自分でお茶をいっぱいついでぐっとのんだ。

「通りかかったから、ちょっと寄ってみたんだよ。またすぐ出かける」

「どこへ？」

「ウェストエンドの向うがわさ。こんどはすこし暇《ひま》がかかるだろう。おそくなったら待たないで寝《ね》ちゃってくれないか」

「調査のほうはうまくいってるのかい？」

「まアね。べつに不平はない。あれからストリータムへも行ったが、あの家へは寄らなかった。調べてみると、なかなか面白《おもしろ》い事件だよ、これは。たいていやり損じはないつもりだ。しかしこんなところで油を売っちゃいられない。早くこの不体裁なものを脱《ぬ》いで、本来の立派な紳士《しんし》に立ちかえらなくちゃ」

私は彼の態度で、彼が肚《はら》の底では口でいう以上に満足すべき理由をもっているのを察した。眼は輝《かが》やいているし、土いろの頰《ほお》には血の気さえさしているのだ。彼は急いで二階へ駈《か》けあがっていったが、まもなく玄関のドアがバタンと鳴ったので、いよいよ会心の追及《ついきゅう》へと出かけたのを知った。

夜中まで起きて待ったが、帰る模様もないから、私は諦《あき》らめて寝室へ入った。何かの追及に夢中《むちゅう》になると、いく日いく夜かえって来ないことも稀《ま》れではないから、帰りのおそいのは気にもならなかったのである。翌朝起きて食事のため下へ降りてみると、いつのまに帰ったのか、彼はちゃんとそこにいてコーヒーカップを手に、片手には新聞をもって、おそろしく元気で服もきちんとしていた。

「やア、お先に失敬しているよ。何しろけさは例の客がわりに早くから来る約束《やくそく》だか

「おや、もう九時すぎたね。そういえばやって来たんじゃないかな、呼鈴《よびりん》が鳴ったようだが」

やっぱりあの大銀行家だった。入ってきたのを見て、ひと晩で彼がすっかり変ったのには驚《おどろ》かされた。元来ずんぐりと大ぶりだった顔が、めっきり小さく萎《しぼ》んで眼や頬は落ちくぼみ、髪の毛も一段と白さを増している。それが疲《つか》れきってだるそうに入ってきたところは、きのうの激発《げきはつ》したあの狂気めいた態度よりも、いっそう哀《あわ》れ深かった。私が押《お》しやった肘掛椅子《ひじかけいす》にぐったり腰《こし》をおとして、

「何の咎《とが》で私はこんなひどい試練《しれん》をうけるのでしょう。たった二日前まで、私はこの世に何の不足もなければ心配もない幸福順調な男でした。それがいまは独り寂《さび》しく老《お》いの恥《はじ》をさらす身となり果てたのです。弱り目に祟《たた》り目で、姪《めい》のメアリーまで私を見すててしまいました」

「見すてると申しますと？」

「家出したのです。ベッドには寝た様子がなく、部屋はからっぽで、ホールのテーブルに私あての手紙が残してありました。私は昨晩悲しくなって、叱《しか》ったのではありませんけれど、おまえがアーサーと結婚《けっこん》していてくれたら、こんなことにはなるまいも

のをと愚痴《ぐち》をならべました。私の考えの至らなかったところでしょう。この手紙にもそのことを申しています。――最愛の叔父上さま、私ゆえご迷惑《めいわく》をおかけしてまことに相すみません。もし私があのようなことを致《いた》さなければ、この怖ろしい不幸は決して起らなかったと存じます。それを考えますと、このうえ一日もお膝《ひざ》もとで安閑《あんかん》と暮《くら》すことはできません。私は永久にお別れしなければならぬと存じます。先々のことについては用意もございますことゆえ、決してお心づかい遊ばしませぬよう。何よりのお願いは、どうぞ私の行方《ゆくえ》をお探しくださいますな。無駄《むだ》なばかりでなく私のためにもなりません。生きていましても死んでも、私はいつまでも叔父上さまを愛しています。メアリー。――ね、ホームズさん、この書きおきはいったいどういう意味でしょう？　自殺でもする気でしょうか？」

「いえ、そんなことではありますまい。おそらくこれが一番よい解決だと思います。ホールダーさん。あなたのご心痛も、もう先が見えていますよ」

「えッ、ほんとうですか？　何かおわかりになったと見えますね。宝石はどこにあります？」

「あの宝石一個に千ポンドでは、高すぎるとお考えになりますか？」

「一万ポンドでも喜んで出します」

「そんなには要《い》りません。三個で三千ポンドで足ります。それに私への報酬《ほうしゅう》も少し頂くとして、小切手帳をお持ちですか？　ペンはここにあります。四千ポンドとどうぞお書きください」

ホールダー氏はあっけにとられた顔つきで、いわれた通りの小切手を書いた。ホームズは机のまえに歩みより、三角形の金の一片に三個の宝石のついたものをとり出して、テーブルの上へ放りだした。

「あったッ！　いや助かったぞ！　助かりましたッ！」銀行家は狂喜してとびつくようにつかみかかった。

悲痛が深かっただけに、その喜びも大きかった。ホールダー氏はひしとそれを胸に押しあて、しっかり抱《だ》きしめたのである。

「あなたにはもう一つ借りがありますよ、ホールダーさん」ホームズがやや厳《おご》そかにいった。

「借りが？　金額をいってください。いくらとでも書きます」ホールダー氏はペンをとりあげた。

「私への借りではありません。あなたはあの気高い青年、あなたの令息に対して平身低頭謝罪なさるべき負担があると申すのです。この事件における令息の行動は、もし私に子供でもあってそういう事をしてくれたのなら、大いに鼻をたかくしたいほど立派なものでした」

「では、あの、アーサーが盗《と》ったのではなかったのですか？」

「昨日も申したはずですが、もう一度いいます。断じてご子息ではありません」

「ほんとうですか？　では早速《さっそく》あれのところへいって、ほんとうのことがわかったと知らせてやろうじゃありませんか」

「もう知っています。事が明白になったから、面会に行きましたが、どうしても口を割らないので、止《や》むを得ずこちらから真相をぶちまけて話してやりますと、不承不承にそれを承認したうえ、私にもわからなかった点を二、三説明してくれました。しかしあなたがけさ持っていらしたニュースを聞かせれば、こんどは口を開くでしょう」

「いったいこんどのことはどんな推移《いきさつ》になっているのですか？　あんまり不思議で私には何が何やらさっぱりわかりません」

「説明しましょう。私が知り得た順序に従って説明してゆきます。まず最初に、これは定めしあなたもお聞きづらいでしょうし、私としても申しあげにくい問題ですが、サー・ジョージ・バーンウェルとあなたの姪御《めいご》さんとの間には、ある種の了解《りょうかい》がありました。二人はこんど手に手をとって出奔《しゅっぽん》したのです」

「メアリーが？　私のメアリーが？　そんなはずはありません！」

「残念ながらはずがないどころか、事実なのです。あの男に自由にご家庭への出入りを許しておきながら、あなたもご子息もあの男の正体をご存じなかった。あの男はイギリスでも名うての怖ろしい人物の一人です。賭博《とばく》で破産した男です。真に怖るべき極悪人《ごくあくにん》です。人情も良心もなくした男です。世の中にそんな男がいることなぞ、メアリー嬢《じょう》がご承知のわけもない。あの男から前に百人の女にささやいたような甘《あま》い言葉で、その使いふるしの愛の誓約《せいやく》を告げられたとき、メアリー嬢は自分だけが彼の心の琴線《きんせん》に触《ふ》れ得たものと思いこんで、のぼせあがったのです。彼がどんなことをささやいたか、それは悪魔のみぞ知るですが、こうしてついに彼女《かのじょ》はあの男のいいなりになりはてたのです。二人はほとんど毎晩のように密会をつづけていました」

「私には信じられません。いいえ信じません」ホールダー氏はまっ青になって空《むな》しく叫《さけ》んだ。

「つぎに、あの晩お宅でどんなことがあったか、それを教えてあげましょう。メアリーさんはあなたが寝室へ退《さが》ったと思ったので、そっと階下へおりてきて、厩の小路のみえる窓のところで、窓ごしに愛人と話をしました。雪の上にはっきりと足跡がのこって、彼がそこにしばらく立っていたことを物語っています。そのとき彼女は宝冠の話をしました。それを聞いて男の胸には、金への欲望《よくぼう》が燃えあがってきました。それで彼女を説き伏《ふ》せて、自分の意に従わせたのです。

彼女があなたを愛していたことに疑いはありません。けれども女性には人によって、すべてのほかの愛情が、恋愛《れんあい》によって打ち消される場合があるもので、彼女もそういう婦人の一人だったのに違《ちが》いありません。わずかにそれに対する彼の指図を聞きとったばかりのところへ、あなたの降りてくるのを認めたので急いで窓を閉め、小間使いが木の義足の男に会いに忍《しの》び出ることを話して、その場をとりつくろったのですが、その話も決して嘘《うそ》ではなかったのです。

アーサー君は二階であなたとお金の話をしてから寝床《ねどこ》に入りましたが、クラブの借金のことが気がかりでどうしても寝つかれません。真夜中になって、寝室の前を誰《だれ》か静かに歩く足音が聞えるので、そっと起きて覗《のぞ》いてみると、驚いたことには従妹《いとこ》が廊《ろう》下《か》を忍び足に、あなたの化粧室へ姿を消したではありませんか！

からだの固くなるほど愕然《がくぜん》としたアーサー君は、ありあわせのものを身につけて、彼女の奇怪《きかい》な行動が何を意味するのか見届けるつもりで、暗いところにじっと立っていました。すると彼女はあなたの化粧室から出てきましたが、廊下のうす明りで見ると例の貴重な宝冠を手にしているではありませんか。

メアリーは宝冠を手にしたまま階段を降りてゆきますから、アーサー君は驚いて廊下を走り、あなたの部屋の入口にちかいカーテンの蔭《かげ》に身をかくしました。そこからならば、下のホールが一目で見おろせるからです。見ていると彼女は忍びやかに窓をあけ、外の暗がりにいる何者かに宝冠を手渡《てわた》しました。そして窓を閉めると急いで二階へあがり、隠《かく》れているアーサー君のすぐそばを通って自分の部屋へ入りました。

彼女がその場にいる間は、アーサー君としても愛する女の悪事をあばきたてるに忍びなかったでしょうが、彼女の姿が見えなくなると同時に、それがあなたにとってどんなに不幸をもたらすか、宝冠をとり戻すことのいかに重要であるかに気がつきました。そこで裸足《はだし》のまま駈け降りて窓をあけ、雪のなかへ跳《と》びだして小路を駈けてゆきますと、月光のなかに人影《ひとかげ》が黒く見えました。

サー・ジョージ・バーンウェルは逃《に》げだしました。しかしアーサー君が追いついてこれを捕えたので、たちまち格闘《かくとう》になりました。宝冠を両方がもって、引張りあいました。揉《も》みあううちアーサー君は相手をうって、目の上に傷を負わせました。そのとき何かしらポキンと折れて急に軽くなりましたから、見ると宝冠は自分の手にありました。そこでアーサー君は後をも見ずに駈け戻り、窓からとびこんで後を閉め、二階のあなたの化粧室へ行きましたが、気がついてみると争いのため宝冠がすこし捩《ねじ》れているので、それを直そうとしていたところへ、不意にあなたが現われたのです」

「そんなことがあり得るでしょうか」銀行家は半信半疑である。

「心からの感謝をうけてもよいはずのあなたから、口汚《くちぎたな》くののしられたので、アーサー君は腹を立ててしまいました。ありのままの事実を話すとすれば、もはや義理だてするにも値《あたい》しない相手ながら、従妹《いとこ》の罪を発《あば》かねばならない。でもアーサー君は気高い騎士《きし》的精神から、彼女の秘密を守ってやったのです」

「ああそれで彼女《あれ》が宝冠を見たとき、あッといって失神したわけがわかりました。ああ神様！　私は何という愚《おろ》か者でしょう！　しかもあのとき息子が五分間だけ外に出してくれといったのは、争った場所にとれた破片が落ちていないか、それを探しにゆくつもりだったのです。ああ私は何という無情な誤解をしたのでしょう！」

「はじめお宅へ伺《うかが》ったとき、私はまず第一に雪の中に何か参考になるものはないかと、建物のまわりを注意して調べてみました。その結果、前の晩から雪は止《や》んだのに寒さがきびしかったから、雪にしるされた足跡がそのまま凍《こお》って残っているのを認めました。出入商人入口の小路は雪が踏《ふ》みかためられて、足跡は一つもありませんけれど、その先の勝手口の右がわに、女と男が立話をした足跡を見つけました。それも男の足跡のほうは一方がまん丸で、木の棒を義足がわりにつけていることがわかりました。

女の足跡が爪先《つまさき》が深くて踵《かかと》の浅いところから、慌《あわ》てて家の中に駈けこんだ——つまり二人の会合には邪魔《じゃま》が入ったということまでわかりました。この場合男のほうはしばらく待ってから、やがて立ち去っています。これはあなたから予《あら》かじめお話のあった小間使いとその愛人だろうと見当をつけましたが、後であたってみると果してその通りでした。

庭のほうには、警官のものらしいでたらめの足跡が入り乱れているばかりでしたが、厩《うまや》の小路へいってみると、そこの雪のうえに、ながい複雑な物語りがしるされていました。

まず男の靴《くつ》の足あとが二条《ふたすじ》、それからこれはたいへん嬉《うれ》しかったのですが、裸足《はだし》男の足あとがやはり二条ありました。あなたのお話を伺っていたから、裸足のほうはアーサー君とすぐにわかりました。靴のほうは行きも戻りも普通《ふつう》に歩いているのに、裸足のほうは両方とも駈けていて、しかも靴の足あとの上についていますから、あとを追っかけたものに違いありません。足跡を辿《たど》ってゆくと、ホールの横の窓下に出ましたが、そこで靴のほうはしばらく待ったとみえ、さんざん雪を踏みつけていました。

こんどは反対のほうへ足跡を辿ってみますと、小路を百ヤード以上もいったところで、靴のほうが向きなおった様子がみえ、格闘でもあったらしくそのへん一帯に踏みにじられ、なおそれを証明するもののように数滴《すうてき》の血さえ落ちておりました。そこからまた靴のほうは駈けていますが、そちらにも血が落ちているので、怪我《けが》したのは靴のほうだとわかりました。この足跡は小路のつきるところまでで、あとは舗道《ほどう》の雪がきれいに掻《か》いてありますからわかりません。

家の中へ入ってから、あなたもご覧になったように、私はホールの窓敷居《まどじきい》を拡大鏡で綿密に検査してみましたが、たしかにそこから何者かの出入りしているのを知りました。入るとき濡《ぬ》れ足で踏みつけた足跡は、ことにはっきりと認められました。

ここまでわかれば、ここでどんなことが行われたか、もはやひとつの考えにまとめあげることができます。――窓の外に一人の男が待っています。そこへ誰かが宝冠を持ってきて渡します。それを見つけたアーサー君が、泥棒《どろぼう》を追跡《ついせき》していって格闘になります。そして宝冠を両方から引張りあううち、二人の力が加わりあって、一人ではなし得ぬような損傷を生じたのです。

アーサー君は首尾《しゅび》よく宝冠をとり戻したつもりで帰ってきましたが、残念なことに小さいほうが相手の手に残ってしまいました。そこまではわかりましたが、それではその相手の男というのは何者か？　宝冠を持ちだしてその男に渡したのは何者でしょうか？　残る問題はそこです。

あり得べからざることを除去してゆけば、あとに残ったのがいかに信じがたいものであっても、それが事実に相違《そうい》ないというのを、昔《むかし》から私は公理としております。さて、あなたが宝冠を持ち出すはずのないのは明らかですから、あとに残る容疑者はメアリー嬢とメイドたちだけです。ではもしそれがメイドだとすると、アーサー君は何だってそんな者のために犠牲《ぎせい》になって、罪をひきうけようというのでしょうか？　そんなことのあり得べき理由は、一つとして考え浮《うか》びません。

　これに反して従妹メアリー嬢ならば、彼は愛していたのですから、彼女のため秘密を守ってやるということは、立派にあり得ることです。ことにその秘密というのが恥ずべきものであるだけに、いっそう確からしさを増すわけです。ここまできて私は、メアリー嬢が前夜ホールの窓のところにいたとあなたがおっしゃったのを思いだし、彼女が宝冠を見て失神したことと思いあわせて、この推測が確信となりました。

　然《しか》らば彼女の共犯者は何者であるか？　むろん愛人に違いありません。あなたに対する愛情や恩義すら忘れさせるのは、愛人以外には求め得ません。あなたがたがあまり外出もなさらず、従って交際の範囲《はんい》も広くないのを私は知っていました。その狭《せま》い交際範囲のなかにサー・ジョージ・バーンウェルがおりますが、この男は女性の間によくない評判のあるのを前から私は聞いていました。雪の中で争い、宝石の一部を持って逃げた靴ばきの男はバーンウェルに違いありません。追っかけてきて争ったのがアーサー君と知ってからも、アーサー君がそれを発きたてれば一家の者に累《るい》を及《およ》ぼすのですから、おそらく自分の安全を信じて安心しているのでしょう。

さてそれから私がどんな手段をとったか、分別ふかいあなたには、もはやおわかりのことでしょう。私は浮浪者《ふろうしゃ》に化けてサー・ジョージ・バーンウェルの家へゆき、うまく召使《めしつか》いの男にとり入って、主人が前夜頭に怪我をして帰ったことを知り、最後に六シリングを投じて主人の穿《は》きふるした靴を一足手にいれました。そしてストリータムまでいって、その靴が雪の足跡にぴたりと合うのを見届けてきました」

「道理できのうの夕方は、汚ならしい浮浪者が小路をうろついていると思いましたよ」

「それはどうも。私だったのですよ。いよいよこの男に間違いないときまりましたから、私は家へかえって服を着かえましたが、それから先の仕事がきわめてむつかしい。というのは世間の問題になるのを防ぐため、告訴沙汰《こくそざた》は避けなければなりません。そうかといって相手は一筋縄《ひとすじなわ》でゆかぬ悪がしこい悪党のことで、こちらの弱味もよく知っていると思うからです。

私は行って彼と会見しました。むろん向うはすべてを否認《ひにん》しました。そこでことの顛末《てんまつ》を洗いざらい話してやりますと、私を威嚇《いかく》し、しまいには壁《かべ》の護身具をとりおろしました。けれども私はかねてから、相手がどんな人物かよく知っていましたから、先手をうってピタリとピストルの筒先《つつさき》を彼の頭へ押しつけました。

するとと彼はすこし話がわかるようになりましたから、持っている宝石一つについて千ポンドで買い戻《もど》そうと切りだしました。その話ではじめて彼は口惜《くや》しそうな顔をみせて、

『ちえッ、売っちまったんだ。三つで六百ポンドで売っちまったよ』

といいました。そこで私は決して訴《うった》えないという保証をしたうえで売り先を聞き、そっちへ廻《まわ》ってさんざん値ぎったうえ、やっと一つ千ポンドで買いとったのです。

そのあとでご子息にも会って万事《ばんじ》かたづいたことを知らせ、一日分にはあまる仕事をすませて、やっと床についたのが午前の二時でした」

「一大醜聞《しゅうぶん》事件からわが大英帝国を救った一日でした」ホールダー氏は立ちあがって、「何といってお礼を申してよいか、感謝するに言葉も見あたりませんが、このご恩は終生忘れません。聞きしにまさるご手腕《しゅわん》のほど、真に驚嘆《きょうたん》するばかりです。ではこれから息子のところへいって、私のこんどの無情な仕打ちを詫《わ》びてやりましょう。哀《あわ》れなメアリーのことは、お話を伺って胸を刳《えぐ》られる思いですが、敏腕《びんわん》なあなたを煩《わずら》

わしても、行方はもうわからないでしょうね？」

「サー・ジョージ・バーンウェルのいるところならば、どこであろうと彼女もいるとだけはいえるでしょう。同時に、彼女のしたことには、やがて報《むく》いがくるだろうことも、間違いのないところでしょう」

――一八九二年五月『ストランド』誌発表――

# ライゲートの大地主

　この話は一八八七年の春、ホームズが働きすぎの過労で倒《たお》れてから、まだ十分健康を回復しきらないころのことだ。かの有名なオランダ領スマトラ会社事件、モーペルトイ男爵《だんしゃく》の大陰謀《だいいんぼう》事件などは、あまりにも世間の記憶《きおく》になまなましくはあり、あまりにも政治経済方面に関係がありすぎて、ここにホームズ探偵譚《たんていたん》の一つとして物語るには、いささか不適当ではあるけれど、それがホームズを間接に、奇怪《きかい》にして複雑な事件に引きいれ、ひいては彼《かれ》が終生の敵として闘《たたか》っている犯罪に、新しい武器の威力《いりょく》を示す機会をあたえることにはなったのである。

　記録をくってみると、私がリヨンからの電報によって、ホームズがデュロン・ホテルで病気で寝《ね》ているのを知ったのが、四月の十四日となっている。それから二十四時間後には、私はもう彼の枕頭《ちんとう》に馳《は》せつけていたが、気遣《きづか》うほどの徴候《ちょうこう》が少しも見えないのを知って、ほっと安心したのである。とはいえ彼の鉄のように頑健《がんけん》なからだも、二カ月にあまる活動からきた過労で、ひどく損《そこ》なわれているのは事実だった。

その二カ月の間、どんな日も彼は十五時間以上働きつづけぬ日はなく、これは彼自身の口から出たことだから、まちがいないが、ぶっ続けに五日間も不眠《ふみん》不休で活動したことすら一度ならずあったのだ。その成果は輝《かが》やく勝利となって現われたが、そんなことであの恐《おそ》ろしいまでの過労が癒《いや》されるものではなかった。

じっさい彼の名が全ヨーロッパに喧伝《けんでん》されたときでも、また彼の部屋が文字どおり祝電で足首まで埋《う》まるばかりになったときでも、本人は不機嫌《ふきげん》な憂鬱《ゆううつ》のどん底に落ち込《こ》んでいるのだった。自分のみごとに解決した事件が、三カ国の警察が手を焼いているものだったと知っても、またヨーロッパきっての名詐欺師《さぎし》を、子供でもあしらうように鼻をあかしたと聞いてさえ、彼の神経の衰弱《すいじゃく》は救われることがないのだった。

で、それから三日目にベーカー街へつれて帰りはしたが、転地したほうがよいのはいうまでもないことであり、私自身としても気候のよい春の一週間を田舎《いなか》ですごすのは、こよない魅力《みりょく》だった。

私の旧友へイター大佐《たいさ》というのは、アフガニスタンの戦地で私の治療《ちりょう》をうけたことのある人だが、いまはサリー州のライゲート附近《ふきん》に一戸を構えており、いちど逗留《とうりゅう》にきてくれとはかねがね言ってきていたし、最近の手紙にはホームズをつれてきてくれれば、喜んで歓待したいとまであった。

その話をホームズに持ちだすには、いささか技巧《ぎこう》を要しはしたが、それでも先方が独身世帯で、あくまで気ままに振舞《ふるま》ってよいのだという条件をもち出したら、やっと私の計画に賛成したので、リヨンから帰って一週間目に、私たちは大佐邸《てい》の客人となったのである。ヘイター大佐はりっぱな軍人であり、見聞も広い人だったので、私の考えていた通り、じきにホームズと親しくなった。

着いた晩、食後に銃器室《じゅうきしつ》にいるときだった。ソファに長くなっているホームズにはかまわずに、私は大佐の銃器のコレクションを見せてもらっていると、大佐がとつぜんこんなことをいいだした。

「ところで万一私の家が襲《おそ》われそうな様子でも見えたら、このピストルのなかから一梃《ちょう》二階へ持っていっとくんですな」

「まさかそんな物騒《ぶっそう》なこともありますまい」

「いや、近ごろこのへんはビクビクものですよ。ついこの月曜日にも、アクトン老人といって、このへんの有力者の家ですが、これが泥棒《どろぼう》に押《お》し入られましてな、幸い大した被害《ひがい》はなかったが、犯人がまだ捕《つか》まっていない始末です」

「手掛《てが》りはないのですか？」ホームズがソファから眼《め》を光らせた。

「今のところないようです。ですがこんなことは小さな事件です。こんどのような国際的大事件を手がけたあなたなどには、まるでつまらない田舎の小事件ですよ」

ホームズは手をふってお世辞をうち消したが、内心の嬉《うれ》しさは微笑《びしょう》となって現われている。

「事件には何か面白《おもしろ》い点でもありませんか？」

「何もないようです。書斎《しょさい》をひっかき廻《まわ》してはみたが、これというめぼしいものもなかったのですな。引出しはひっくり返したまま、戸棚《とだな》はかき廻しっぱなし、部屋中をさんざんとり散らかしたあげくに、盗《と》っていったものといっては、ポープの『ホメロス』の半端本《はんぱぼん》、メッキの燭台《しょくだい》が二つ、象牙《ぞうげ》の文鎮《ぶんちん》が一個、樫製《かし》の小さな晴雨計が一個、それに麻糸《あさいと》の玉が一つ、みんなでこれだけらしいのです」

「いかにも妙《みょう》な取合せですねえ」私がいった。

「なあに、手あたりしだいに何でもさらっていったのでしょう」

「州警察はそこに眼をつけなきゃいけないね」ホームズがソファからつぶやいた。

「これは何といったって明らかに……」

私は指をだして彼に警告を発した。「ホームズ君、君はここへ保養にきているのだよ。お願いだから、めちゃめちゃになっているその神経がもとの通りになるまでは、新しい事件には手を出さないでくれたまえ」

ホームズは首をすくめて、おどけたあきらめの視線を大佐のほうへ投げた。で話は自然、より安全なほうへと流れていった。

けれども医者としての私の心遣いは、まったく徒労におわるべく運命づけられていた。というのはその翌朝のこと、事件のほうから私たちのうえへのしかかってきて、ほっておけないことになったからである。おかげで私たちの転地は思いもかけない方向へそれてしまった。――ちょうど食卓《しょくたく》についているときだった。大佐の執事《しつじ》が礼儀《れいぎ》も作法も忘れて駈《か》けこんできた。

「あの、お聞きでございますか、カニンガムさまのことを……」

「また泥棒かい？」大佐は口もとへ持ってゆきかけたコーヒーカップをとめてきき咎《とが》めた。

「人殺しでございます！」

「なに、人殺し？　誰《だれ》が殺されたのだ？　治安判事かい？　それとも息子《むすこ》のほうかい？」

「ちがいます。馭者《ぎょしゃ》のウイリアムでございます。主人の財産を守ろうとして心臓を撃《う》ちぬかれ、一言もいわずに死んでしまいましたそうで」

「誰が撃ったのかい？」

「泥棒でございます。撃っておいて、鉄砲弾《てっぽうだま》のように逃《に》げてしまいましたそうで。食器室の窓をこわして入ったばかりのところへ、ウイリアムがゆきあわせて、そんな目にあったのだと申します」

「いつのことなんだ？」

「昨晩でございます。十二時ごろだそうで」

「そうか、そりゃすぐに行ってみなくちゃ」と大佐は泰然《たいぜん》とフォークをとりあげながら、執事が去ってしまったのを見て、「ちょっとまずいことになりましたよ。カニンガムはこの地方きっての大地主で、人物もしっかりしているが、こんどは参っているでしょう。何しろ殺されたウイリアムというのは、永年つとめてきた忠実な男でしたからね。こりゃアクトンの家のと同じやつに違《ちが》いありません」

「あの変なものばかり集めて逃げたやつとですか？」ホームズが考えぶかくいった。

「そいつですよ」

「ふむ、これは結局ごくつまらない事件なのかもしれませんが、同時に一見面白いところもあるじゃありませんか。いったい田舎の泥棒というものは、転々と仕事の場所をかえてゆくものなのに、それがほとんど日をおかずに、同じ地方で二カ所へも入るというのは、まず考えられないことです。ですから昨晩あなたから用心するのだと伺《うかが》ったときも、この泥棒がイングランド地方を荒《あら》しまわるのはあれが最後で、二度とこの教区内を荒すことはあるまいと、ふとそんなことを思ったのですが、それがこんなことになってみると、私にはまだ学ぶべき点がありますね」

「私の考えでは、この泥棒は土地のものだと思いますね。土地のものなら、アクトンやカニンガムの家へ入ったのは、ごく自然の順序です。二軒《にけん》ともこの地方では、とびはなれて大きいのですからね」

「同時にお金持でもあるわけですね？」

「そのはずなんですがね、両家は多年訴訟《そしょう》事件で争っていますから、双方《そうほう》とも相当疲《つか》れてはいるでしょう。ことの起りは、アクトン老人がカニンガムの土地の半分に自分の権利を主張したところからですが、どちらも弁護士を立てて争っています」

「土地のものの仕業《しわざ》なら、とり押えるにもそう困難はありますまい」ホームズはあくびして、「わかったよ、ワトスン君。もう出しゃばるのは止《よ》すから……」

このとき執事がさっとドアをあけて、声たかく披露《ひろう》した。

「フォレスター警部がいらっしゃいました」

「お早うございます」するどい顔つきの年若な警部は、入ってくるなり大佐に挨拶《あいさつ》した。「お邪魔《じゃま》して相すみませんが、ベーカー街のホームズさんがこちらに見えていると伺ったものですから……」

大佐がホームズのほうを手で教えたので、警部は改めて頭をさげて、

「じつは、たぶんご出馬ねがえるかと思いまして伺ったのですが……」

「運命の神は君に味方しないようだぜ、ワトスン君」ホームズは笑っていった。「じつは今もその話をしていたところなんだよ、警部さん。ではひとつ詳《くわ》しくお話を伺いましょうか」

といつもの調子で椅子《いす》にふかく寄りかかったので、私はもはや断念するほかなかった。

「アクトン事件のほうには、手掛りというものが一つも得られなかったのですが、こんどはきわめて豊富です。犯人が同一人物であることだけは間違いないところでして、こんどはそいつを目撃《もくげき》しているものさえあるのです」

「ほう！」

「見たことは見たのですが、ウイリアム・カーワンを撃っておいて、鹿《しか》のように敏捷《びんしょう》に逃げてしまったということです。見たのはカニンガムさん父子《おやこ》で、父親のほうは寝《しん》室《しつ》の窓から、子息のアレックさんのほうは裏口で見たのです。時刻は十二時十五分まえで、カニンガムさんは寝床《ねどこ》へ入ったばかりのところ、アレックさんはガウンにくつ

ろいでパイプをふかしていたところだったそうですが、助けてくれというウイリアムの声をきいて、アレックさんは何事が起ったかと駈けおりてゆくと、裏口があいていて、階段の下まできたとき、二人の男が外でつかみあっているのが見えたそうです。そのうち一方がピストルを撃ち、相手の倒れるのを見て、脱兎《だっと》のように垣根《かきね》をとびこえて逃げていったそうです。カニンガムさんのほうは、ウイリアムの声で窓からのぞいてみると、犯人がちょうど道路を駈けてゆくのがちらりと見えたそうです。

アレックさんは犯人よりも、倒れているウイリアムの介抱《かいほう》のほうに気をとられて、ついとり逃してしまい、犯人が中肉中背の男で、黒っぽい服を着ていたことだけしか見ていませんが、厳重に捜査《そうさ》をつづけていますから、もし土地の者でないならすぐにも捕《とら》えられると思っています」

「ウイリアムはそんなところで何をしていたのです？　死ぬ前に何か言いましたか？」

「ひと言も口は利《き》けませんでした。彼は母親と二人で長屋に住んでいましたが、ごく忠実な男ですから、異状はないか見廻りに出てきたのだろうと思います。なにしろアクトン事件以来、みんな気をつけるようになっていますからね。それがちょうど泥棒がドアをこじ開けたところへ行きあわせたに違いありません。錠《じょう》がこわされていまし

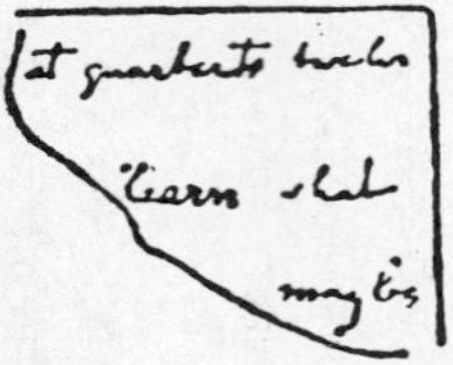


（12時15分前に
教えて
たぶん）

た」

「ウイリアムは出かける前に、母親になにかいっていますか？」

「母親は、ひどく年をとっているうえに、耳がきこえないときていますので、なにをきいてもだめなのです。もっともいまは、ショックでぼうっとなっているということも考えられますが、そうでなくてもあまりはきはきしない婆《ばあ》さんのようです。しかし手がかりならここにきわめて重要なものが一つあります。これをごらんください」

警部は手帳の一端《いったん》を切りとったらしい小さな紙きれをとりだして、膝《ひざ》のうえに広げた。

「ウイリアムがこれを二本の指でつかんでいたのです。大きな紙の切れはしらしいですが、よく見ると、これに書いてある時刻が、ウイリアムが殺された時刻と一致《いっち》していますよ。犯人が持っていたのを、ウイリアムがこれだけむしり取ったものか、ウイリアムの持っているのを、犯人が取りあげようとして、これだけ残していったものか、どちらにもとれますが、いずれにしても会見のうち合せには違いないようです」

ホームズは紙きれを手にとって、じっと見入ったが、その写しをここに掲《かか》げておく。

「うち合せだとするとですね」警部は言葉をつづけて、「このウイリアム・カーワンという男は正直ものとなってはいますけれど、泥棒に気脈を通じたけしからん奴《やつ》だということになります。ここで落ちあって、錠をこわす手つだいくらいはしたのかもしれません。そしておそらくそのあとで、仲間われをしたのですな」

「この紙きれはたいへん面白い。これは案外複雑な事件かもしれませんよ」紙きれを一心に見つめていたホームズは、こういって両手でふかく頭を抱《かか》えこんだ。その様子を眺《なが》めた警部は自分のもってきた事件が、ロンドンの有名な大探偵の興味をそそったのを知って、満足の微笑をうかべた。

「あなたのいまおっしゃったウイリアムと泥棒とは気脈を通じていたという考えかた、この紙きれがそのうち合せだとする説明は、いかにもうがった見かたでもあり、事実ありえないことではありません。しかしこの筆跡《ひっせき》を見ると……」でホームズはまた頭を抱えて考えこんだが、数分後に顔をあげたのを見れば、両頰《りょうほお》にさっと血の気がさしており、眼は病気になるまえのようにキラキラかがやいていた。そして病気なんか忘れたようにさっと元気よく立ちあがった。

「ま、聞いてくれたまえ。僕《ぼく》はこの事件をもっと詳しく調べてみたいんだ。なんだかばかに面白いところがあるんだ。大佐、失礼ですけれどちょっとワトスン君をここへ残しておいて、私は警部さんと、私の想像がどこまで事実だか確かめに行ってきたいと思います。三十分もすれば帰ってこられるつもりですから……」

だがその三十分は一時間半ほどになって、警部がひとりで帰ってきた。

「ホームズさんは外の野原をぶらぶらしながら待っていますが、例の家へ、あなたがたにもいっしょにお出《いで》を願いたいとおっしゃるのです」

「カニンガム家へですか？」

「そうです」

「何しに行くのでしょう？」

「私にはさっぱりわかりません」警部は肩《かた》をすくめて、いった。「ここだけの話ですが、ホームズさんはご病気がなおりきっていらっしゃらないようですね。なさることが実に妙で、ひどく興奮していらっしゃいます」

「ご心配なさることはありませんよ。言行は狂気めいていても、あの男はちゃんと条《すじ》理《みち》が立っているのが常です」私は弁解しておいた。

「あれが条理《すじみち》なら、狂人の条理というものでしょう」警部もつぶやくようにいった。

「とにかく馬のように逸《はや》りたっておられるようですから、よろしかったらすぐにお出かけくださいませんか、大佐どの」

出てみるとホームズは顎《あご》を襟《えり》につけるほどうなだれて、両手をズボンのポケットに突《つ》っこみ、野原をせかせかと往《い》ったり来たりしていた。

「問題はますます面白くなってきた。ワトスン君、きみの発案した転地は大成功だったぜ。けさは実に気持がよくなった」

「現場を見ておいでだったのですね？」大佐がいった。

「ええ、警部さんと二人で、ちょっと探察に行ってきました」

「どうでした？」

「そうですね、非常に興味ある事実を二、三見てきましたが、ま、詳しいことは歩きながら話しましょう。――第一に、被害者の死体を見てきましたが、これは話のとおりピストルでやられたものでした」

「ほう、その点を疑っていらしたのですか？」

「ええ、何ごとでも確かめておくのはよいことですからね。それを調べたのも決して無駄《むだ》手間ではなかったのです。それから私たちはカニンガムさん父子にも会いました。そして二人から、犯人が逃げるとき垣根を乗りこえた場所を正確に教えてもらいましたが、こいつがたいへん面白かったです」

「なるほど」

「それから被害者の母親にも会いました。これはひどくよぼよぼしていて、得るところはありませんでした」

「で結局どういうことになりますか？」

「非常に奇怪《きかい》な犯罪だという確信を得ました。これから行ってもっとよく調べれば、よほどはっきりしてくると思いますが、死体が手にしていたという自分の死ぬ時刻を書いた紙きれ、あれがたいへん重要だということに、われわれの意見は一致しているのです、ね、警部さん」

「あれは何かの手掛りになりますね、ホームズさん」

「断然なりますよ。誰が書いたか知らないが、ウイリアムはあの手紙であんな時刻に出てきたのです。だがあの紙のあとの部分はどうなったのでしょう？」

「もしや落ちてでもいないかと、ずいぶんあたりを捜《さが》してみたのですがねえ」と警部はいった。

「被害者の手から、捥《も》ぎとっていったのですよ。どうしてそんなにまでして手に入れたかったのでしょう？　そこから足がつくからです。では捥ぎとった部分をどうしたでしょう？　おそらく角の破れてなくなったのに気がつかずに、そのままポケットへ突っこんだと見るのが最も近いでしょう。ですからこの紙きれさえ手に入れば、問題はぐっと解決にちかくなるわけです」

「それはそうですが、まだ捕えてもいない犯人のポケットを、どうしてさぐることができますか？」

「そうでしたな。そいつはまだよく考える余地がありますね。だがこういうこともいえますね。ウイリアムは手紙をもらっているが、これはむろん書いた男がウイリアムに手渡《てわた》したのではない。自分でウイリアムに会いにゆくくらいならば、何も手紙にすることはない。口でいえばわかることですからね。では誰か使いになっていったか？それとも郵便できたか？」

「その点調べてみますと、ウイリアムはきのうの午後手紙を一本うけとっています。封筒《ふうとう》は自分で破いてすてたそうです」警部がいった。

「うまい！」ホームズは警部の背なかをたたいた。「配達人を調べたんですな？あなたのようなかたと仕事をするのは愉快《ゆかい》です。さあ、これが番小屋です、大佐。こちらへいらっしゃい、現場をご案内します」

私たちは被害者の住んでいたという、小ぎれいな長屋のまえを通って、樫の並木路《なみきみち》をクイーン・アン式のりっぱな邸宅《ていたく》の方へ歩いていった。その古い家の玄関《げんかん》のドアのうえの横木には、マルプラケ記念の日附《ひづけ》（訳注　一七〇九年九月十一日、スペイン継承戦争中、北フランスのこの村で、イギリス・オランダ・オーストリア連合軍がフランス軍を破る）が刻《ほ》りこんであった。ホームズと警部は私たちを導いてこの家の横手へまわり、道に沿って設けられた低い生垣ごしに、庭園の一部をへだてて横門のあるところへと出た。台所口に巡査《じゅんさ》がひとり立っているのが見える。

「ねえ、きみ、ちょっとそのドアをあけてみてください」ホームズがいった。「アレック・カニンガム君が二人の男が争っているのを見たというのは、その階段の下のところで、争っていたのはいま私たちのいる場所です。老カニンガム氏が覗《のぞ》いた窓は、二階の左から二番目、あそこからあの繁《しげ》みの左手へ逃げてゆくのを見たのです。犯人の逃げた方向については、アレック君もおなじことをいっています。あの繁みがあるので、方角がはっきり頭にのこっているのですね。それから、アレック君は走り出て、倒《たお》れている男のそばへ膝をついたわけですが、地面がこの通り堅《かた》いから、足跡《あしあと》などは少しも残っていません」

ホームズが説明しているあいだに、二人の男が家の角を廻《まわ》って現われ、庭の小径《こみち》をこちらへ歩いてきた。一人は皺《しわ》のふかい強い顔にねむそうな眼《め》つきの年輩《ねんぱい》の人物、一人はスマートな青年で、微笑《びしょう》をたたえたその朗《ほが》らかな表情や、めかしたてた服装《ふくそう》など、折が折だけになんとなく似あわしからぬ印象をあたえた。

「おや、まだお調べ中なんですか？」アレックがホームズに言葉をかけた。「ロンドンの探偵《たんてい》がたは、決して戸惑《とまど》いなどなさることなく、もっとテキパキしたものかと思っていましたが、あなたがたはやっぱり大したこともないようですね」

「やあ、少しは余裕《よゆう》を見てくださらなくちゃ」ホームズは気をわるくした様子もなかった。

「そうでしょうとも。なにしろ手掛《てが》かりがさっぱりないようですからな」とアレックがいった。

「いや、一つだけありますよ」警部がいった。「いまその話をしていたところですが、それさえわかれば犯人は容易に……おや、ホームズさん、どうしましたッ？」

ホームズの顔はこのとき急に怖《おそ》ろしい表情に歪《ゆが》められた。両眼をつりあげ、極度の苦悶《くもん》に顔をしかめ、ウンとうめいたと思ったら、ぱたりと前のめりにそこへ倒れてしまったのである。

とつぜんではあるし、あまりのことに驚《おどろ》いて、私たちは大急ぎで台所へかつぎこみ、大きな椅子に腰《こし》かけさせてやった。彼《かれ》はしばらく荒い息づかいをみせていたが、まもなくきまり悪そうに礼をいいながら再び立ちあがった。

「ワトスン君にお訊《き》きくだされればわかりますが、じつは病《や》みあがりでしてね、ときどきこういう神経性の発作《ほっさ》がおきて困ります」と彼は弁解した。

「馬車でお送りしましょうか？」老カニンガムの申し出であった。

「せっかく来たのですから、一つだけ確かめてゆきたいと思うことがあります。すぐすむことなのですから……」

「どんなことですか？」

「私の考えでは、ウイリアムがこの場所へやってきたのは、泥棒《どろぼう》が家の中へ入ってからだと思うのですが、あなたがたはドアは抉《こ》じあけてあるけれど、泥棒は一歩も中へは入っていないと信じていらっしゃるようですね？」

「その点はまちがいあるまいと思うのです」カニンガム氏は浮《う》かぬ顔で断定した。

「なにしろアレックはまだ起きていたのですから、もし入ってくれれば足音を聞いたはずですからね」

「アレックさんはどこにいたのですか？」

「私は化粧室《けしょうしつ》で煙草《たばこ》をのんでいました」

「どの窓になりますか？」

「二階の左のはずれ、父の部屋のとなりです」

「両方ともまだ灯火《あかり》はともっていたのでしょうね？」

「もちろんです」

「そうすると、ひどく妙《みょう》なことになりますな」ホームズは微笑をうかべて、「泥棒が、それも駈《か》けだしでなく経験のある泥棒が、家族のうち二人だけはまだ起きているのを、窓の灯火《あかり》で知っていながら、ゆうゆうとドアを抉じあけて押《お》しいるというのは、いかにも妙じゃありませんか？」

「よほどずうずうしく落着いた奴なんですな」

という父親の尾《お》についてアレックも、

「ですから、事件が奇怪なればこそ、あなたを煩《わずら》わすことにもなったのですよ。しかし、いまお話のウイリアムが組みつくまえに、泥棒が家の中へ入ったという考えかたは、まったくばかげていると思います。それとも家の中が乱雑で、何か盗《と》られているのがわからないのだとでもおっしゃるのですか？」

「それは盗られた品にもよりけりですね。なにしろ相手は風がわりなやつで、妙なものばかり盗ってゆく泥棒ですからね。早い話が、アクトンさんの家で盗ったものを見てごらんなさい。糸の玉に文鎮《ぶんちん》、それから何でしたっけ、いちいち覚えてもいられないほどの、ガラクタばかりじゃありませんか」

「いや、万事《ばんじ》あなたにお委《まか》せしてあるのですから」とこのとき老カニンガム氏のほうが割って入った。「あなたなり警部さんなりのおっしゃることなら、なんでも喜んでいたしますよ」

「それではまず、賞金をきめていただきたいと思います。警察をとおすと、金額の決定にちょっと手間どるでしょうから、直接どうぞ。こういうことは早いだけいいですからね。書式は書いてきましたから、これでよろしければご署名ねがいたいもので、金額は五十ポンドでたくさんだと思います」

「五百ポンドでも、私は喜んで差しあげますよ」治安判事の職にあるカニンガム氏はホームズの出した紙片と鉛筆とを受けとって、書式に眼をとおしていたが、「や、これはちょっと違《ちが》っていますな」

「急いで書いたものですから……」

「ここのところに、『然《しか》るに火曜日午前一時十五分前ごろ、事件が発生して……』とありますが、ほんとうは十二時十五分前ですよ」

私は心痛した。こうした間違いをしでかしたとき、ホームズがどんなに口惜《くや》しがるかをよく知っているからである。既知《きち》の事実を正確にとらえるというのは、彼の特色になっているのだが、最近の病気で身心ともに弱りきったため、こんなことにもなったのであろうか？　逆にいって、この一事をもってしても、彼がまだ十分健康を回復していないのが、私にはよくわかるのである。ホームズはちょっときまり悪そうだったが、警部は眉《まゆ》をあげるし、アレックはふきだして笑った。ただひとり老カニンガム氏のみは、だまって間違いを訂正《ていせい》して、書式をホームズに返した。

「少しでも早く印刷させてください。大変結構な案だと思います」

ホームズはその紙をていねいに紙入れのなかへおさめて、

「そこでこんどは、みんなで家の中を調べて、この奇妙な泥棒が、結局何も盗らずに逃走《とうそう》したのかどうか、実地に確かめておくほうがよいと思います」

中へ入るまえに、ホームズは泥棒のこわしたというドアを調べた。それはノミか丈《じょう》夫《ぶ》なナイフを使って、錠を抉じあけたものに違いなかった。木の部分に、それを押しこんだ痕《あと》が歴然とのこっている。

「かんぬきはお使いにならないのですね？」ホームズがたずねた。

「そんな必要はこれまで認めなかったのです」

「犬は飼《か》っていないのですね？」

「一匹《いっぴき》いますが、表のほうに繋《つな》いであります」

「召使《めしつか》いたちは何時に寝《やす》ませますか」

「十時ごろです」

「ウイリアムもそのころ、寝床《ねどこ》へ入るわけですね？」

「そうです」

「それがゆうべに限って起きていたというのは妙ですな。ですがまあ、カニンガムさん、はなはだ恐縮《きょうしゅく》ですが、それではお家の中を見せていただきたいものです」

ドアを入るとなかは石畳《いしだたみ》の通路で、途中《とちゅう》から台所への通路が分れていたが、かまわずまっ直《すぐ》に進むと、木造の粗末《そまつ》な階段が二階へ通じていた。これはつまり、反対がわにある玄関から直接のぼる飾《かざ》りつきの立派な表階段の踊《おど》り場へ通じる裏階段で、この踊り場から一つの客間と数室の寝室《しんしつ》――そのなかにカニンガム父子のもあるわけだが――に通じていた。

ホームズは家の構造にするどい視線を注ぎながら、ゆっくり歩いていった。その顔つきで、彼がなにか重要な獲物《えもの》に近づいているのはよくわかったが、さてその獲物がなにかということになると、私には見当さえつかなかった。

「もし、ホームズさん」カニンガム氏は少しいらいらして、「これはまったく不必要なことじゃありませんか。この階段のさきは私の部屋で、そのさきが息子《むすこ》のです。二人ともまだ起きていたのだから、泥棒がこんなところまで来たか来ないか、少しお考えくだされればわかることでしょうに」

「匂《にお》いの消えないうちに、家中かいでまわるんですな」アレックが意地わるい微笑をうかべていった。

「もっとこっぴどく、私を笑いものにしてもらわなきゃなりません。たとえばまだ、寝室の窓がどのくらい見通しがきくか、なんていうことも見せていただきたいと思っている始末ですからね。ほう、これがアレックさんのお部屋ですね？」ホームズはドアをあけてみて「そしてあちらが、悲鳴の聞えたとき煙草をのんでいらしたという化粧部屋ですね？　あちらの窓からはどこが見えるのでしょう？」とずかずか入りこんで化粧部屋のドアをあけ、中を覗きこんだ。

「どうです、まだお気がすみませんかね？」カニンガム氏は癇癪《かんしゃく》をおこしたらしい。

「いや、見たいところはこれでひと通り見せていただきました。どうもありがとう」

「じゃ、こんどは、必要とあれば私の部屋もお見せしましょうか？」

「お差支《さしつか》えなければ、そう願いましょうか」

カニンガムは肩《かた》をすくめて、自分の部屋へ案内した。そこはいたって簡素な、なんの奇もない部屋だったが、中へ入って窓のところへ行くまでに、ホームズは最後にとり残されて、私と肩をならべて歩いていた。

ベッドの足もとの近くの四角い小さなテーブルに、皿《さら》に盛《も》ったオレンジと水さしがのせてあったが、通りすがりにホームズは、私の前につんのめってそれをテーブルごとわざとひっくり返してしまった。ガチャンチャリンとガラスは微塵《みじん》にくだけ、オレンジは八方へころころところげていった。あっけに取られている私に向って、ホームズはすましていった。

「あ、やったね、ワトスン君！　カーペットがたいへんじゃないか！」

私は面くらいながらも、何かわけがあって、ホームズが私に罪をなすりつけているのだと悟《さと》ったから、だまってオレンジを拾い集めにかかった。ほかの連中もそれを手つだった。テーブルも起された。

「おや！　あの人はどこへ行ったろう？」そのとき警部がとつぜん叫《さけ》んだ。

ホームズの姿がいつのまにか見えなくなっているのである。

「ちょっとここで待っててください」アレックがいった。「あの人はどうも頭がへんになっていますよ。お父さん、来てください。どこへ行ったんだか、さがしてみましょう」

カニンガム父子《おやこ》は、たがいに顔みあわす警部と大佐と私をのこして、どこかへ飛びだしていった。

「私の見るところも、アレックさんとおなじですよ。病気のせいかもしれませんが、私にいわせればむしろ……」

と警部がいいかけたとき、

「助けてくれエ！　人ごろしイ！」

と悲鳴がおこったので、私たちはびっくりした。それがホームズの声だと知って、私は夢中《むちゅう》で階段の踊り場まで駈けだしてみた。するとしだいに弱まって、しゃがれてゆくその声は、最初に見た部屋、すなわちアレックの寝室から洩《も》れてくるのだとわかった。

私はそこへ飛んでいって、奥《おく》の化粧部屋へおどりこんだ。するとカニンガム父子が二人がかりでホームズを押えつけ、父のほうは腕《うで》をねじあげるし、息子のほうは両手で咽喉《のど》を締《し》めつけているのだった。私たち三人は協力して、おどりこんで二人の手からホームズを引きはなした。ホームズはまっ青な顔で、ほとんどヘトヘトになっていたが、それでもフラフラと立ちあがって、喘《あえ》ぎながらいった。

「警部さん、この二人を逮捕《たいほ》してください」

「なんの容疑で？」

「ウイリアム・カーワン殺しの犯人として」

警部は不可解の眼をみはって、

「そりゃホームズさん、あなたは本気ではないんでしょうね……」

「いいから二人の顔を見たまえ」ホームズがそっけなくどなった。

私はこのときほどはっきりと、人の顔に罪状告白の現われているのを見たことがない。老カニンガムはふかい皺のある顔をすっかりふくれさせて、まるで失神したようになっている。これに反して息子のほうは、その特徴《とくちょう》だった活潑《かっぱつ》で元気のよいところはどこへやら、美しい顔を口惜しそうに歪め、黒っぽい二つの眼には猛獣《もうじゅう》のような残《ざん》忍《にん》性を閃《ひら》めかしていた。警部は無言でこの二つの顔を見つめていたが、やがて戸口へいって鋭《するど》く呼子《よぶこ》を吹《ふ》きならした。笛《ふえ》に応じて二人の巡査が急いでやってきた。

「カニンガムさん、いかんとも致《いた》しかたがありません。これは何かの間違いだということが、きっとすぐに判明するとは思いますが、いまはとにかく……あッ、何をする！　はなせ！」

警部はアレックがピストルをとりだして、安全装置をはずそうとしているのを見て、それを叩《たた》きおとした。

「君のほうへ取っておきたまえ」ホームズはすばやくそのピストルの上に片足をおいていった。

「公判のとき何かの材料になるかもしれません。もっともほんとうに必要なのは、このほうですがね」

ホームズはしわくちゃになった小さな紙きれを出して見せた。

「おや、手紙のあとの部分ですね？」警部は大きな声を出した。

「そうですよ」

「どこにありました？」

「あるだろうと目星をつけていた場所に。――いますぐ詳《くわ》しく説明してあげますよ。大佐、あなたはワトスン君とひと足さきにお帰りください。私もせいぜい一時間もすれば帰ります。これからちょっと警部さんと二人で、この二人に訊《たず》ねたいことがあるのです。昼食までには必ず帰ります」

ホームズは約束どおり、一時ごろ大佐邸《てい》の喫煙室《きつえんしつ》へ姿を現わした。そのとき小柄《こがら》な老紳士《ろうしんし》を同伴《どうはん》していたが、紹介《しょうかい》されてみると、それが最初泥棒に見まわれたアクトン氏だった。

「じつはあなたがたにこんどの事件を説明するのに、アクトンさんにもごいっしょに聞いていただこうと思って、おつれしたのですよ。アクトンさんもこの事件には、たいへん興味がおありだと思いましてね。しかし大佐は、私のような海燕《うみつばめ》(訳注 それが現われると暴風雨があるとの言い云えがある）にとびこまれて、とんだ時間の浪費《ろうひ》だと、ご迷惑《めいわく》に思っていらっしゃるでしょうね？」

「どういたしまして！」と大佐は熱心にいった。「あなたの探偵ぶりを実地に拝見できたのは、光栄のいたりだと思っているほどです。しかも正直に申せば、それは想像以上で、私はいまもってあなたがどうしてこういう結論に到達《とうたつ》されたのか、まるきりわからないでいる始末です。いや結論どころか、私には手掛《てがか》りがどこにあったのか、それすらまったくわかりません」

「説明をきいてしまえば、幻滅《げんめつ》だろうと思いますが、私はいつでも自分のとった方法を、ワトスン君はもとより、まじめな興味をもって聞く人にはいっさい隠《かく》さない習慣です。それでこれから説明をはじめるまえに、さきほど化粧部屋でひどい目にあったので、いまだに少し変ですから、申しかねますがこのブランディを少しご馳走《ちそう》になりたいと思います。なにしろ最近はどうも体力が少し衰《おとろ》えていますのでね」

「あれからもう神経的な発作はなかったでしょうね？」

「あれについてはいま申しあげますが」ホームズは心から笑って、「私がどういう手掛りからあの結論に達したか、要点を順を追って話してゆきましょう。もしはっきりおわかりにならないところがありましたら、話の途中でもどうぞご遠慮《えんりょ》なく質問をお出しください。

探偵術では、数多くの事実の中から、果してどれとどれが偶然《ぐうぜん》の事柄で、どれが必然の事柄であるかを判別し得る能力が、もっとも重要です。この能力に欠けているときは、精力の浪費となり、注意力は散漫になって集中されません。この事件では最初から、事件ぜんたいの鍵《かぎ》が殺された男が手にしていた紙片《しへん》にあることは、はっきり私の胸の底にありました。

この紙片のことを考えてみるまえに、一応ご注意しておきたいのは、もしアレックのいうことが正しいとして、犯人がウイリアムを射殺してすぐ逃げたとすれば、被害《ひがい》者《しゃ》の手からあの紙片をもぎとったのは、この射殺犯人ではないということです。もし射殺犯人でないとすれば何ものでしょう？　アレック自身よりほかありません。なぜなれば、アレックにつづいて父のカニンガムの降りていったころには、召使いたちが何人か出てきていたからです。

これはきわめて簡単な推理ですが、フォレスター警部は、州の有力者の人たちはそういう事件に関係することは決してないはずだという先入観をもっていたために、見のがしてしまいました。私は決して先入観をもたぬこと、事実の導くところには柔順に従うということに、とくに意を用いていますが、そのため事件に手をつけたそもそもから、アレックの行動に怪《あや》しげな点のあるのに気がついたのです。

そこで私は警部の持ってきた紙きれを、きわめて念いりに調べてみましたところ、これは非常に面白《おもしろ》い書きものであるのを発見しました。ここに持ってきましたが、どうです、なにか大そう変ったところがあるのにお気づきになりませんか？」

「非常に不規則な筆跡《ひっせき》ですね」大佐がいった。

「そこです！　これは二人の人物が交互《こうご》に一語ずつ書いたものであることは、絶対に疑いのないところです。それにはこの at《アット》 と to《トウ》 の t の字と、quarter《クォーター》 と twelve《トゥエルヴ》 の t とをくらべてみれば、すぐにわかるでしょう。まえの二つは強い字を書く人の筆跡で、あとの二つは弱い筆跡です。この四つの文字の相違《そうい》がわかってくれば、あとの三字のうち learn《ラーン》 と maybe《メイビー》 とが強いほうの字で、まん中の what《ホワット》 が弱いほうの筆跡であるのは、確信をもっていえます」

「なるほど、これは火を見るより明らかですわい。なんだってまた、二人がかりでそんなことをして手紙を書いたのだろう？」大佐が叫んだ。

「悪事の手紙だったのと、それに二人のうちの一方が相手を疑って、何をするにも片棒ずつ担《かつ》がせておこうとしたのです。そこで、その二人のうちどちらが主謀者《しゅぼうしゃ》かというと、むろんこの at《アット》 とか to《トウ》 とかいう強い字を書いたほうが張本人です」

「どうしてそんなことがわかります？」

「筆跡をくらべて見ただけでもそれはいえるのですが、まだほかに、もっと確かな理由があります。この紙きれをよく注意してみると、強い字を書くほうの男がさきに書いて、筆跡の弱いほうの男があとから余白へ一字ずつ書きこんでいっていることがわかります。というのは余白の不足なところがあったりするので、たとえば、このatとtoのあいだのquarter《クォーター》という字なんか、ひどく窮屈《きゅうくつ》に押しこめられているのがわかります。さきに書いたほうが張本人であるのは議論の余地がありますまい」

「すばらしい！」アクトンが嘆声《たんせい》をもらした。

「いや、これはまだほんの初歩です。これからおいおい、要点に入ってゆきます。あなたがたはまだご存じないかもしれませんが、筆跡から人の年齢《ねんれい》を推定するのは、その道の専門家になるとかなり正確な結果が出るものです。普通《ふつう》の場合、その人が何十代だかを推定するのは、まず信頼《しんらい》できる正確さをもっています。ここに普通の場合と申したのは、病弱の人は若くても老人のような筆跡をみせるものだからです。

こんどの場合など、力強い元気のある字と、一方に、まだ読みづらいというほどにはなっていなくとも、tの字の横棒が落ちたりして、そろそろ萎縮《いしゅく》しだした字とあるのを見れば、一方が青年の字で、他方がおいぼれとまではゆかないが、相当年輩《ねんぱい》の人の字であるのは明らかでしょう」

「すばらしい！」アクトン老がふたたび嘆声をもらした。

「しかもまだ、これにはもっと面白い点があるのです。この二つの筆跡を見ると、どこか共通したところがあります。これは血族関係のある人の字です。たとえば二人ともeの字をギリシャふうにくずしているところなんか、あなたがたにもすぐにおわかりでしょうが、私にはそのほか同じ事実を示すこまかな点がいくつも見えます。ですから私はこの二種の筆跡のうちにも、一つの家風というものの現われているのを知ったのです。

　むろんいま申しあげていることは、私がこの紙きれを研究した結果のうちの主なところだけですが、そのほかあなた方にはつまらないでしょうけれど、専門家には興味のありそうな事実を二十三、推定しました。それらはみんな、カニンガム父子がこの手紙を書いたという私の信念を、強めてくれるものばかりでした。

　そこまでわかってくると、つぎに私のとるべき道は、むろん犯行の手口を調べて、そこから何かをつかむことです。私は警部といっしょにカニンガムの家へいって、見るべきところをすっかり見てきました。死体の傷は、これは私が絶対の自信をもって断言することができますが、四ヤード以上はなれたところからピストルで撃《う》たれたも

のでした。服に焦《こ》げめが見えません。従って格闘《かくとう》中に一方がピストルを撃ったという
アレックの言葉が偽《いつわ》りであるのがわかります。
つぎに、犯人が逃走のさい垣根《かきね》を乗りこえた場所について、父子の言葉は一致《いっち》して
いますが、その場所へ行ってみると、偶然にもそこには底のじめじめしたやや広い溝《みぞ》
があるのに、足跡《あしあと》らしいものが一つも見あたりません。そこで私は、単にカニンガム
父子の言葉が偽りであるばかりでなく、曲者《くせもの》がきたというのがそもそもまっ赤な嘘《うそ》な
のだと確信を得ました。
さてそこで、私はこの奇怪《きかい》な事件の動機について考えなければなりません。そのた
め私はまず、アクトンさんとカニンガムさんの家の泥棒《どろぼう》の目的から研究にかかりました。大佐のお言葉
で、アクトンさんとカニンガムとのあいだには訴訟《そしょう》事件のあるのを承知していました。
それで、こいつはそのほうに必要な書類かなにかが目的だったのだとすぐに感じまし
た」
「それですよ」アクトン老がうなずいた。「それ以外に目的があろうとは思えません。
私はカニンガムの土地の半分に対して、正当な権利を主張しているのですが、これで
もし私が弁護士の金庫に預けてある、たった一枚の証拠《しょうこ》が向うの手に入ったら、こっ
ちは手もなく敗訴になるところなのです」

「それですな」ホームズはにっこりして、「ずいぶん向う見ずな話ですが、そこにアレックらしい行為《こうい》を見るような気がします。目的のものが見あたらないので、普通の泥棒のように見せかけて、万一の疑いをそらすため、手あたり次第《しだい》の品物を持ち去ったのです。

そこまでは明白ですが、まだわからない点がたくさんあります。何よりも私が手に入れたかったのは、この手紙のなくなった部分です。ウイリアムの手からこれを捲《むし》りとっていったのは、アレックに違《ちが》いありませんが、同時にアレックがそれをガウンのポケットにねじこんだことも、まず疑いのないところです。あの際それ以外にやり場はないじゃありませんか。問題はただ、今もってそこにあるか否《いな》かだけです。しかし一応そこを当ってみる値うちはありますから、そのつもりで皆《みな》さんともう一度あの家へ行ったのです。

ところが台所のところまで行ったとき、カニンガム父子が向うからやってきました。あの際あの手紙のことなどいい出せば、向うは気がついてすぐにも破棄《はき》するにきまっています。警部が不用意に、あれが重要な手掛りと目《もく》されていることを喋《しゃべ》りそうになりました。その刹那《せつな》に、世にも幸運なことに私が一種の発作《ほっさ》に見まわれたので、うまく話がそれてしまいました」

「おやおや」大佐は笑いながらいった。「すると私たちの心配はみんな無駄《むだ》だったのですか！　あれが仮病《けびょう》だったとは驚《おどろ》きましたな」

「医者の眼《め》から見ても、仮病とは思えないほどうまかったぜ」私はいつものことながら、ホームズの手ぎわの鮮《あざ》やかさに、あいた口がふさがらなかった。

「しばしば役に立つ芸さ」ホームズはすましていった。「発作がおさまると、これもちょっと巧妙《こうみょう》な方法で、カニンガムに twelve《トゥエルヴ》（十二）という字を書かせ、この手紙の twelve と比較《ひかく》する材料にしました」

「あっ、なんて僕《ぼく》はばかだったのだろう……」私は思わず叫んだ。

「いや、僕がへんな間違いをしたので、君が病気を気づかってくれたのはよくわかっていたよ」ホームズは笑いながして、「まったく君に心配をかけたのはすまないと思っている。それから皆で二階へゆきましたが、まずアレックの部屋へいってみると、ドアの裏がわにガウンがかかっているのが見えたから、注意をそらすためテーブルをひっくり返しておいて、そのあいだに抜《ぬ》けだしてガウンのポケットを検《あら》ためてみました。

　しかしやっと目的の紙きれを探《さぐ》りあてたと思ったら、いきなりカニンガム父子につかみかかられました。もしあなたがたが助けてくださらなければ、私はあの場で締め殺されていたことでしょう。いまでもまだアレックに咽喉を締めつけられているような気がしますし、私の手にしている紙きれをとりあげようと、カニンガムに腕をねじあげられているような気持です。父子は私になにもかも知られてしまったと見て、とつぜん絶望のどん底に突《つ》きおとされ、死物狂《しにものぐる》いになったのです。

あれから犯罪の動機について老カニンガムに訊ねてみましたが、息子《むすこ》の方はピストルが手に戻《もど》れば、他人はもとより自分の頭でさえぶん殴《なぐ》ろうとするほどの、徹底《てってい》した悪党なのに比して、父親のほうは素直《すなお》な人間でした。

カニンガムは逃《のが》れえぬ罪と知って、気の毒なほどしょげこんで、すっかり白状してしまいました。それによると父子はアクトンさんの家へ忍《しの》びこんだとき、ウイリアムにそっと後をつけられたらしいのです。そしてその弱味を握《にぎ》られて以来、脅迫《きょうはく》がはじまったのです。

けれどもアレックはそれを懼《おそ》れるようなナマやさしい男ではなかった。向うがそう出るならと、ちょうどこの地方の人心をびくびくさせている泥棒の噂《うわさ》を利用して、邪《じゃ》魔《ま》ものを除く方法を思いつくくらい、奸智《かんち》にたけた彼《かれ》にとっては朝飯まえというものです。

そこでウイリアムをおびき出しておいて、一発でうち殺したのですが、これでもし

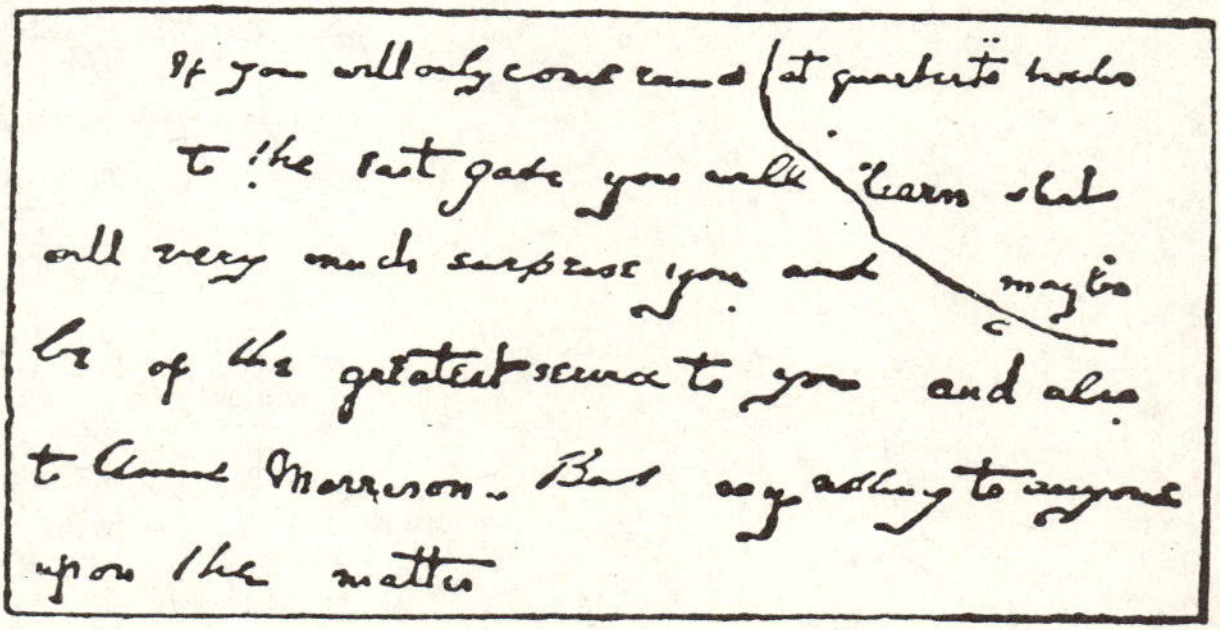
If you will only come round at quarter to twelve
to the east gate you will learn what
will very much surprise you and maybe
be of the greatest service to you and also
to Annie Morrison. But say nothing to anyone
upon the matter

東門まで12時15分前に
くればよいことを教えて
やる。それはたぶん
お前にもアニー・モリソンにも
大変役に立つことだ。
このことは人にはいうな。

この紙きれを全部ウイリアムの手からとりあげており、なおほんの少しばかり注意ぶかくしてさえいたら、絶対に疑いはかからないですんだことでしょう」

「で、その手紙は？」私が催促《さいそく》した。

するとホームズは二つの紙きれをつなぎ合せて、完全な手紙にしたのを私たちのほうへ出して見せた。

「私の考えていたところときわめてよく一致しています。むろんアレック・カニンガムとウイリアム・カーワンとアニー・モリソン嬢《じょう》とのあいだにどんな関係があるのか、それはまだわかっていませんが、結果から見てこの手紙は巧《たく》みにウイリアムをおびき出しています。この手紙を見るとpという字やgという字のお尻《しり》のほうに遺伝の現われが見えて、あなたがたにもきっと面白いでしょう。またiという字に点のないのは、老人の筆跡の大きな特徴です。ワトスン君、こんどの転地保養は大成功だったね、あしたは大いに元気になってベーカー街へ帰ってゆくとしようよ」

——一八九三年六月『ストランド』誌発表——

# ノーウッドの建築士

「犯罪専門家の見地からすると、あの哀《あわ》れなモリアティ教授が死んで以来、ロンドンというところは妙《みょう》に索莫《さくばく》とした都会になったね」ある日シャーロック・ホームズがいった。

「多くの心ある人たちは、そんな説には共鳴しないだろうよ」私はたしなめた。

「そうさ、身勝手はいけないね」彼《かれ》は笑いながら、朝食のテーブルから椅子《いす》をうしろへずらして、いった。「社会はたしかに得をしたのだ。損をした者はない。たった一人仕事のなくなった専門家をのぞけばね。あの男が生きていたころは、毎朝の新聞が面白《おもしろ》い暗示を無限に提供してくれた。ごくわずかな痕跡《こんせき》とか、ほんの微《かす》かな暗示にすぎなくても、僕《ぼく》にはその背後にひそむ凶悪《きょうあく》な智能《ちのう》が、容易に見すかせたこともしばしばだった。ちょうど蜘蛛《くも》の巣《す》の一端《いったん》におこった静かなトレモロから、中央に頑張《がんば》る醜《しゅう》悪《あく》な蜘蛛の存在に気づくようにね。こそ泥《どろ》やくだらぬ傷害沙汰《ざた》や埒《らち》もない暴行などでも、手がかりを押《お》えている者の手にかかっては、その関連を一つのものにまとめあげてしまうのは何でもないことだ。高級犯罪の科学的研究者にとっては、ヨーロッパでもロンドンほど都合のよい都会はなかったものだが、今では……」

といいかけてホームズは、ロンドンをそう仕むけたのはほかならぬ自分であるという、滑稽《こっけい》な矛盾《むじゅん》に気がついて、急に口をつぐんで首をすくめた。

これを話しているのは、ホームズがロンドンへ戻《もど》って数カ月後のことであるが、私はそのころ彼の乞《こ》いをいれて、医院を売り払《はら》って以前にかえり、ベーカー街で再び彼と同居の生活をしていたのである。ケンジントンの私の小さな医院を買ったのは、ヴァーナーという若い医者で、私の切りだした売値を驚《おどろ》くほど素直《すなお》に承諾《しょうだく》した。これは数年後になって、ふとしたことからわかったのだが、ヴァーナーはホームズの遠い親《しん》戚《せき》にあたり、金も実際に出したのはホームズであったという。

いまもホームズがいったように、いっしょになってからの数カ月は、ほとんど何の仕事もなかった――わけでは決してない。私の覚えがきを出してみても、この期間には前大統領ムリロ（訳注 南米コロンビア）の書類事件があったし、オランダ汽船フリスランド号のぞっとする事件があった。ことにこの後者では、私たちはもう少しで惜《お》しい命まで落とすところだったのだ。しかしながらホームズは、その冷やかな自負心の強い性情から、大衆の喝采《かっさい》に類することが大きらいで、彼の言動、方法、成功などについて私が筆にするのを堅《かた》く止めていたのである。その禁止のとけたのが、前にも述べたように、ほんの最近のことなのである。

ホームズはこんな気まぐれな苦情をならべたあとで、椅子によりかかって新聞を漫《まん》然《ぜん》とひろげていたが、このときとつぜん、呼鈴《よびりん》がけたたましく鳴りひびいたので、何事かと二人は顔を見あわせた。つづいて空《うつ》ろな音がはげしくするのは、誰《だれ》かが玄関《げんかん》の扉《とびら》を拳固《げんこ》で叩《たた》きつづけているらしい。やがて誰かが扉をあけに出たと見え、ホールから階段に物すごい足音がして、慌《あわ》ただしく駈《か》けこんできたのは、まっ青な顔に眼《め》を血ばしらせ、髪《かみ》ふり乱して血相かえた青年である。入ってくるなり私たちの顔を見くらべていたが、われわれの問いただすような視線に気づき、そこで初めて自分の不作法な闖入《ちんにゅう》を詫《わ》びなくてはならないのに気がついたらしい。

「失礼しました、ホームズさん。どうぞお許しください、私は気が狂《くる》いそうなのです。私が問題の、不運なジョン・ヘクター・マクファーレンです」

まるで名前さえいえば、自分の訪問の目的も、またこのとり乱した態度も、わかってもらえるといわぬばかりの挨拶《あいさつ》だが、こっちはいっこう覚えがない。ホームズはどうかというと、まったく無感動な顔つきをしているから、これも呆気《あっけ》にとられているらしい。

「マクファーレンさん煙草《たばこ》でもどうぞ」ホームズは自分のケースを押《お》しやりながら、「その徴候《ちょうこう》ではどうやら、ここにいるワトスン博士に鎮静剤《ちんせいざい》を処方してもらう必要がありそうですな。この四、五日、たいへん暖かいようです。さ、少し落着いたら、そちらのその椅子にかけて、ゆっくりと、ごく静かに、あなたがどなたで、何のご用件でおいでなのか、それからお話し願えませんか。さきほどは、私があなたを知っているようなお口ぶりでしたが、あなたが独身の事務弁護士で、フリーメイソンの会員で喘息《ぜんそく》もちだという明白な事実以外、私は何も知らないのですよ」

私はホームズのやりかたには馴《な》れていたから、彼のこの断定を理解するのはむずかしくなかった。服装《ふくそう》が何となく乱雑なこと、法律関係の書類を持っていること、時計のさげ飾《かざ》り、荒《あら》い息づかいを見れば、だいたいわかる。しかしマクファーレン青年は眼を丸くして驚いた。

「いちいちお言葉のとおりですが、そのうえにもう一つ附《つ》け加えれば、私はいまロンドン中でいちばん不幸な人間です。ホームズさん、後生ですからどうぞ私を見捨てないでください。すっかり話のすまないうちに、私を逮捕《たいほ》に来るようなことでもあったら、どうぞ話のすむまで待ってもらってください。あなたが外部で私のため骨を折っていてくださると思えば、私は喜んで捕《とら》えられてゆきます」

「あなたを逮捕ですって！　これはありが――いや、面白い！　いったい何の容疑ですか？」

「ロウア・ノーウッドのジョナス・オールデカー氏殺害の容疑です」

ホームズの表情に富んだ顔には、同情が現われたが、それとは別に、どうやら満足そうな色も見てとれるようである。

「ははあ、たったいま食事中に、このワトスン博士と、近ごろの新聞にはセンセーショナルな記事がさっぱり出ないと、話しあっていたばかりですよ」

マクファーレンはふるえる手をのべて、まだホームズの膝《ひざ》のうえにあったデイリー・テレグラフ紙をとりあげた。

「これをご覧になっていたら、私が何しに伺《うかが》ったか、すぐおわかりでしたのに。私としては世間の人はみんな、私の名前と災難とを知っているような気がしたんです」と彼は新聞を折りかえして中のページを出し、「ここに出ています。何でしたら私が読みあげてみましょう。よろしいですか、ホームズさん。見出しは、『ロウア・ノーウッドの怪事《かいじ》件《けん》、知名の建築業者失踪《しっそう》。殺人放火の見込《みこみ》、犯人の目星つく』とありますが、その犯人として追跡《ついせき》されているのが私なんです。現にいまもロンドンブリッジ駅から尾行《びこう》されましたが、すぐ捕えなかったのは、逮捕令状のくるのを待っているだけなんでしょう。ああ母が！　母がどんなにか悲嘆《ひたん》にくれるでしょう！」

不安で、いても立ってもいられないらしく、両手を揉《も》みしぼりながら、彼は子供のようにからだを前後にゆり動かした。

私は暴力犯の嫌疑《けんぎ》をうけているというこの青年を、興味ふかく眺《なが》めた。亜麻《あま》色の髪、おどおどした青い眼、すべすべと髭《ひげ》のない皮膚《ひふ》、口もとのよわよわしく敏感《びんかん》な、疲《つか》れたような消極的な美しさをもつ青年であった。年は二十七くらいか、服装も態度も紳《しん》士《し》であり、うすい夏外套《なつがいとう》のポケットからはみだした裏書き入りの書類が、その職業を物語っている。

「与《あた》えられた時間を有効に使わなければ。ワトスン君、すまないがその新聞の、問題の記事を読みあげてくれないか」

ホームズにいわれて私は、さきほどマクファーレンの引用した大きな見出しの下の、次のような暗示的な記事を読みあげた。

昨夜　というよりはけさ早くロウア・ノーウッドに重大犯罪事件が突発《とっぱつ》した。ジ
　ヨナス・オールデカー氏は多年この郊外地で建築業を営み附近《ふきん》でも名を知られた人だが五十二歳《さい》の独身で、住宅はディープ・ディーン街のシデナム側のはずれ

にあるディープ・ディーン荘《そう》、この数年来は引込みがちの生活を送る奇人《きじん》として知られ、相当の資産を作ったといわれる建築業もほとんど止《や》めていたが、小さな材木置場は今も裏手にあり昨夜十二時ごろこの材木の山の一つから出火した。急報により直ちに消防ポンプが出動したが、乾燥《かんそう》した材木は火勢物凄《ものすご》く手がつけられずついに全焼して鎮火した。これだけなら普通《ふつう》の出火事故であるがその後になって重大犯罪を暗示する新事実が発見された。というのは火災の現場に肝心《かんじん》の主人の姿が見えないことである。母屋《おもや》のほうにも見当らず外出の模様もないので当局の手で取調べたところ、同夜同氏はベッドに寝た形跡がなく金庫が開け放たれて重要書類が部屋中に散乱しており大格闘《だいかくとう》が行われた形跡がある。なおよく調べると血痕も少しあり、ことに握《にぎ》りに血痕のついた樫《かし》製のステッキが発見された。同氏は前夜おそく寝室《しんしつ》で来客に接したが、前記ステッキはこの来客の所持品で客はロンドン西中央区グレシャム・ビル四二六号のグレアム・アンド・マクファーレン事務所の次席組合員ジョン・ヘクター・マクファーレンと呼ぶ若手事務弁護士と判明するに至った。当局はこの犯人の動機を説明するに足る有力な証拠《しょうこ》を握った模様であるから事件は注目すべき進展をみせ全市を騒《さわ》がすこと必至と見られる。

続報——本紙印刷直前に前記ジョン・ヘクター・マクファーレンはオールデカー氏

殺害の犯人としてすでに当局に逮捕されたといわれる。少なくとも逮捕令状が発行されたのは確実である。その後ノーウッドで戦慄《せんりつ》すべき事実が発見された。被害者《ひがいしゃ》の寝室（一階にある）には既報《きほう》の通り格闘の痕跡が残っているのみならず、フランス窓は開いていて、ここから何かかさばる重量物を材木置場まで引きずり出した形跡があり捜査《そうさ》の結果焼跡《やけあと》から黒焦《くろこげ》の死体が発見されるに至った。当局の見るところによれば被害者は寝室で殴《なぐ》り殺され書類を奪《うば》われたもので、犯人は犯跡隠滅《いんめつ》の目的で死体を材木置場に運び出して放火したものと見られる。なお事件は敏腕《びんわん》を謳《うた》われる警視庁のレストレード警部の担任となったので犯人追及《ついきゅう》は俄然《がぜん》活気を帯びてきた。

シャーロック・ホームズは両眼を閉じ、両手の指をかるくつき合せて、この驚くべき記事に耳を傾《かたむ》けていたが、読みおわると元気のない調子でいった。

「たしかに面白いところもある。第一マクファーレンさん、これでみると当然逮捕してよい証拠材料があるのに、どうしてあなたはそうやって自由の身でいられるのですかね？」

「私はブラックヒースのトリントン・ロッジに両親といっしょに住んでいますが、昨晩はオールデカーさんのところで、仕事のためにたいへん晩《おそ》くなりましたから、ノーウッドのホテルに泊って、けさはホテルからまっすぐに出勤するつもりで、汽車に乗ってから、この新聞の記事を見て初めて知ったようなわけで、捨てておけませんから、あなたにお願いするつもりで、大急ぎで駈けつけてきました。これがもし自宅にいるか、事務所にいたら、とっくに捕《つか》まっているでしょう。現にロンドンブリッジ駅から一人の男が尾行してきています。これはきっと――おやッ？　何でしょう？」

それは呼鈴の音で、すぐつづいて重い足音が階段をのぼってくるのだった。と思うまもなく、顔なじみのレストレード警部が入口にぬっと現われた。うしろには制服の巡査《じゅんさ》を一、二名従えているらしく、廊下《ろうか》にちらりと姿が見えた。

「ジョン・ヘクター・マクファーレン！」とレストレードはまず呼びかけた。われわれの不幸な依頼人《いらいにん》はまっ青になって腰《こし》をうかした。「ロウア・ノーウッドのジョナス・オールデカー氏謀殺《ぼうさつ》犯人として逮捕する」

マクファーレンは絶望的な身ぶりとともに私たちのほうを見て、うち拉《ひし》がれた人のようにぺたんと椅子に腰をおとした。

「レストレード君、ちょっと待ってください。三十分やそこいら遅《おく》れたって、別にどうということもないはずだ。いまね、この紳士から非常に興味のある話を聞いていたところなんです。あるいはこの事件捜査の役にたつかもしれませんよ」ホームズがいった。

「捜査はいまのところ、別に難点もありませんがね」レストレードは苦い顔をした。

「そうかもしれないが、君のお許しを得て、ぜひこの人の話を聞きたいんだがね」

「ま、ホームズさんにかかっちゃ、いやともいえませんねえ。何しろ役所としては一、二回お力添《ちからぞ》えを受けていることでもあるし、いわば借りがあるわけですからね。ただし、私は犯人のそばを離《はな》れるわけにゆきません。それに今から犯人のいうことは、後に証拠として援用《えんよう》される事のあるのを、犯人に断っておかなければなりません」

「結構ですとも。私はただ話を聞いて、事実の真相さえ認めていただければ、それ以上何も望みはありません」マクファーレンがいった。

レストレードは時計を出してみて、

「三十分だけ時間を与えよう」といった。

「第一に説明しなければならないのは、私にとってあのジョナス・オールデカーさんはまったく知らない人だということです。名前だけは承知していました。それはずっと以前、私の両親があの人と知りあいだったからですが、その後ずっと疎遠《そえん》になっていました。ですから昨日午後三時ごろに、あの人がロンドンの下町《シティ》の私の事務所へやってきた時は、ひどく驚きました。それから訪問の目的を聞いてみて、ますます驚いてしまいました。あの人は何やら帳簿《ちょうぼ》から切り取った数枚の紙に、走り書きしたのを持ってきて――これがそうですが――それを私の机の上において、こういいました。『マクファーレンさん、これは私の遺言状《ゆいごんじょう》です。一つ正式の書類にこしらえてくださらんか。できるまでここに腰かけて待っとります』

私は早速《さっそく》書類の作成にかかりましたが、その内容が、一部の控除《こうじょ》をのぞいて、あの人の全財産をこの私に遺《のこ》すとなっているのを知って、ますますびっくりしてしまいました。小柄《こがら》で、イタチのような感じの妙な男で、まつ毛が白くなっていましたが、驚いて見あげると、あの人は鋭《するど》い灰いろの眼でうれしそうに私を見ているのでした。なぜこんな遺言状を作ったのか、常識では判断もつきませんでしたが、あの人は、自分は独り者で身寄りもほとんどないこと、若いころ私の両親と懇意《こんい》にしていたので、私のことは頼《たの》もしい青年としてかねがね耳にしていたことなど説明して、自分の財産はくだらない者の手には渡《わた》したくないのだと強調しました。むろん断る理由もありませんから、私はへどもどお礼をいうのがやっとでした。

遺言状は滞《とどこお》りなくできあがり、署名もすんで、立会証人には事務所の事務員が署名しました。このうす青いほうの紙がそれで、こちらの紙きれは先ほど申したあの人が持ってきた下書きです。

すっかり済むとオールデカーさんは、まだほかにも書類がたくさんあって、建物の賃貸契約書《けいやくしょ》、不動産権利書、抵当証書《ていとう》、仮証書、その他ですが、私によく見て納得《なっとく》しておいてもらわねばならぬといい、万事片《ばんじ》づかないと気が落着かないから、今晩ノーウッドの家まで来てもらいたいといいだしました。遺言状もそのとき持ってきてもらえばよいし、その席で万事とりきめたいといい、『すっかり終るまでは両親にも打ちあけないでな、後で知らせて驚かしてあげよう』とこの点をしつこく念を押して、必ず守ると私にかたく誓約《せいやく》させました。

私としては、ホームズさん、何をいわれても断りきれなかったその気持は、おわかりくださるでしょう。いわば恩人ですから、何でもあの人の満足するよう取計らう肚《はら》をきめたわけです。家の方へは、仕事の都合で今晩は帰りがおくれて、何時《なんじ》になるか見当もつかないと電報しておきました。オールデカーさんは九時前は家にいないと思うから、夜食を九時に一緒にとろうとの事でしたが、家をさがすのに少し手間どりましたので、着いたのは九時半ちかくでした。あの人は――」

「ちょっと待ってください。玄関へ出迎《でむか》えたのは誰でした？」ホームズが質問した。

「中年の婦人でした。家政婦だと思います」

「そのとき向うから、あなたの名前をいったでしょうね？」

「その通りです」

「どうぞそのさきを話してください」

「その婦人に居間へ案内されましたが、居間には質素な夜食の用意ができていました」

マクファーレンは額の汗《あせ》をふいて語り続ける。

「夜食をすませてから、ジョナス・オールデカーさんは寝室へ私をつれてゆきました。そこには大きな金庫があって、彼はその中から書類をひと山とり出しました。二人でそれを調べてゆきましたが、終ったのは十一時すぎ、十二時にはなりませんでした。家政婦を起すのは気の毒だからと、あの人は自身で寝室のフランス窓から私を送りだしてくれました。その窓は初めから開《あ》いていたようです」

「ブラインドは？　降りていましたか？」ホームズが訊《たず》ねた。

「さア、はっきりしませんけれど、半分くらい引いてあったように思います。ああ思いだしました。窓を開けるのに、あの人がそれを押しあげましたから、降りていたわけですね。私はステッキが見あたらないので、まごまごしていますと、『心配しなさんな。これからはちょくちょく会えるのだから、こんど来なさるまで大切に預かっときましょうて』というので、そのまま帰ってきましたが、そのとき金庫は開けっぱなし、書類は机のうえに積んだままでした。

さて、オールデカーさんの家は出たけれど、時刻がおそいので、ブラックヒースまでは帰れません。いたしかたなくエナリー・アームズという宿屋に泊りました。そして、朝になって新聞でこの恐《おそ》ろしい事件の記事を読むまでは、まったく何も知りませんでした」

「ホームズさん、まだ何か訊《き》くことがありますか？」話のあいだ一、二度眉《まゆ》をつりあげていたレストレードがいった。

「ブラックヒースへ行ってみるまでは、何もありません」

「ノーウッドでしょう？」

「あっそうでした。いい違《ちが》えたらしい」とホームズは曖昧《あいまい》なうす笑いをうかべた。レストレードはこれまでの経験で、相手の鋭い頭脳が、自分には不可解なことを、剃刀《かみそり》のように解明するのをいやというほど見せられているので、不思議そうにホームズの顔を見ていたが、

「ホームズさん、少しあなたと話したいことがあるのですが……マクファーレン君は、廊下に巡査が二人いるし、表に四輪馬車が待たせてあるから、ひと足さきに出ていたまえ」

あわれマクファーレン青年はしおしおと腰をあげ、哀願《あいがん》するような眼差《まなざ》しで私たちのほうを見かえりながら、出ていった。そのまま巡査に守られて、馬車へつれてゆかれたらしい。レストレードだけは部屋に残った。

ホームズは遺言状の下書きというのをとりあげて、興味深そうに眺めていたが、それを押しやると、

「どうです、レストレード君、この文書はちょっと面白《おもしろ》いじゃありませんか、え？」

レストレードは困惑《こんわく》の面持で下書きを眺めた。

「最初の二、三行は読めますね。それに二ページめの中ほどと、最後の一、二行、これはまるで印刷したようなはっきりした字ですが、ほかの部分はひどく乱雑で、ことにこの三カ所は全然読めませんよ」

「それは何を意味すると思います？」

「さア、あなたはどうお思いです？」

「これは汽車の中で書いたものです。字のきれいな部分は、停《とま》っているとき書いたのです。乱雑なのは動いているときで、ひどく乱れているのは、ポイントを通過中に書いたのです。科学的な頭脳をもった老練家なら、すぐに、これは郊外線の列車で書いたものだと断定するでしょう。大都市に接近した線でなければ、こう頻繁《ひんぱん》にポイント

のあるはずがありませんからね。かりに乗ってから降りるまで、この下書きを書きつづけていたものとすると、ノーウッドとロンドンブリッジとの間で一回停車するだけの急行列車ということになり、実際とよく符合《ふごう》します」

レストレードは笑いだした。

「ホームズさん、あなたの理屈《りくつ》がはじまると、全く持てあましますよ。それがこの事件とどう関係があるとおっしゃるんですか？」

「それはね、ジョナス・オールデカーはきのう汽車の中でこの遺言状の下書きを書きあげたということが、あの青年の話によって確証されるのです。おかしいじゃありませんか、遺言状のような大切なものを、場所もあろうに汽車の中で書くというのは。何だかオールデカーが、実質的重要性を考慮《こうりょ》していなかったのを思わせる。初めから効力を発生させる気のない遺言状なら、汽車の中でだって書くでしょうがね」

「そうするとオールデカーは、自分の死刑執行《しっこう》命令書を書いたことになりますね」レストレードがいった。

「君はほんとにそう思うんですか？」

「あなたはそう思いませんか？」

「そう、それもあり得るけれど、私には事件全体がまだ判然としていませんから……」

「判然としない？　これが判然としなかったら、何を判然といいますか？　ここに一人の若い男がいて、とつぜん、ある老人が死ねばその多額の財産が相続できると知る。青年はどうするでしょう？　誰《だれ》にも秘密に、その夜何かの口実を設けて、依頼者であるその老人を訪問します。その家にいる唯一《ゆいいつ》の第三者が眠《ねむ》るのを待って、二人きりの部屋の中で相手を殺します。死体は材木といっしょに焼いて、近所のホテルへ逃《に》げこみます。部屋の中やステッキの血痕《けっこん》はごくうすいので、おそらく無血殺害に成功したものと誤信して、死体さえ焼いてしまえば、死因もわかるまい。死因がわかると、足がつく恐れもあるけれど。――どうです、これでも明瞭《めいりょう》じゃないとおっしゃるのですか」

「いや、レストレード君、僕《ぼく》にはあまりに明瞭すぎるように思えるんですがね。君は立派な才能を持ちながら、想像力だけは働かそうとしないのは惜《お》しいですよ。いですか、いま君がこの青年の立場におかれたと仮定してみましょう。君は遺言状の作成されたその晩を選んで、悪事を決行する気になりますか？　遺言状の作成と本人の死亡とが、そう都合よく引続いて起っては、危険だとは思いませんか？　それに家政婦が応対に出たりして、自分がその家に来ているのを知られている日を選んで、手を下すでしょうか？　もう一つおまけに、大骨を折って死体の始末はしながら、ステッキばかりは、自分が犯人でございとばかりに残しておきますか？　ねえレストレード君、こういう点は、君だって変だと思うでしょう？」

「ステッキですが、犯人というものは狼狽《ろうばい》して、常人ならば思いもよらぬことを、しばしば演じるのは、あなたもよくご承知でしょう。それにマクファーレンは死体を運びだして火をつけてからは、逃げるのに夢中《むちゅう》でもあり、怖《こわ》くてあの部屋へ入って行く気にはなれなかったでしょう。それとも何かほかに、うまい説明があったら聞かせていただきましょうか」

「うまい説明なら、半ダースくらいすぐに並《なら》べられますよ。たとえば、こんなのなんかどうです。あり得るばかりではなく、むしろありそうな事ですがね。ただで提供しますよ。老人は一見値うちのありそうな書類を見せているところを、通りがかりの浮《ふ》浪者《ろうしゃ》に見られる。ブラインドは半分あいていたといいますからね。事務弁護士が帰ったあとで、この浮浪者が入ってきて、あらかじめ見ておいたステッキで殴り殺し、死体を焼いてから逃げてしまった——」

「何のために浮浪者は死体を焼くんです？」

「そんなことをいうなら、マクファーレンは何のために焼いたんです」

「証拠を隠滅するためですよ」

「それなら浮浪者だって、人殺しなんか全然なかったように、見せかけたかったとも いえます」

「それなら浮浪者は、何故《なぜ》なんにも盗《と》ってゆかないんです?」

「よく見たら、自分の力では金にかえられぬ証書ばかりだったからです」

レストレードは、まえほど絶対的に自信ある態度ではなかったが、首を振《ふ》った。

「じゃホームズさん、あなたはその浮浪者とやらを探したらよいでしょう。私どもはあの男を真犯人としてやってゆきます。どっちが正しいか、いずれはわかることです。ただね、ご注意までに申しておきますが、いまのところあの書類は、一枚も紛失《ふんしつ》していないようですよ。それはそうでしょう、マクファーレンにしてみれば、自分が法定相続人で、どっちへ転んでもいずれ自分のものになるんだから、何もいま盗《ぬす》んだり隠《かく》したりする必要はありませんからね」

これにはホームズも少し参ったらしかった。

「ある意味で証拠が君の説に有利なのは否定しませんがね、私はただ、ほかの説明も可能だということを指摘《してき》したいのですよ。ま、君のいうとおり、いずれわかることです。じゃ、さようなら、きょうノーウッドへ寄って、捜査の進捗《しんちょく》ぶりを見せてもらうつもりですよ」

レストレードが帰ってゆくと、ホームズは立って敏捷《びんしょう》に外出の準備をはじめた。いそいそとフロックの袖《そで》に手を通しながら、

「やっぱり最初はブラックヒースだよ」

「なぜノーウッドから始めないのだい？」

「その理由はね、この事件はまず一つの出来ごとがあって、引きつづきすぐ第二の出来ごとが起っているからだよ。警察は、この第二の出来ごとの性質が、偶然《ぐうぜん》にも犯罪を構成するものだから、誤ってそっちへ注意を集中しているが、僕にいわせれば、第一の出来ごとのほうを一応明らかにしておくのが、事件全体を究明する上において、理論的に正しいと思う。第一の出来ごととは、意外な人物を相続人にして、とつぜんこしらえられたあの奇妙《きみょう》な遺言状だ。これがわかれば、つづいて起った出来ごとは簡単になるのじゃないかと思う。いや、君は来てくれても、たのむことがないと思う。危険はない見こみだ。危険があるようなら、僕ひとりで出かけるものかね。夕方には帰ってくるつもりだが、そのときは僕のところへ保護を求めて飛びこんできたあの不幸な青年のため、少しは役に立つ報告を持ってきたいものだと思うよ」

ホームズの帰りはだいぶおそかった。憔悴《しょうすい》し、いらいらした顔をひと目みて、あれ

ほど張りきって出かけた目的が、満たされなかったなと知った。帰ってくるなり物もいわずに、ヴァイオリンをとって一時間ばかり、いらだつ心を鎮《しず》めるらしかったが、やがてそれを投げだすと、とつぜん、きょうの失敗の説明をはじめた。

「駄目《だめ》だ。なにもかも駄目だ。僕はきょうレストレードの前で、大きな見えをきったが、今度という今度はあの男のほうが正しくて、僕の見こみが誤っているのかもしれないよ。僕の本能の指示するところ、ことごとに事実とくいちがっている。この国の陪審員《ばいしんいん》たちは、僕の理論を、レストレードの事実の羅列《られつ》以上に買うだけの叡智《えいち》の高峰にはまだ達していないからね」

「ブラックヒースへは行ったのかい？」

「行ったさ。行ったらすぐに、死んだオールデカーは相当の悪者だということがわかった。父親は息子《むすこ》を探しに出て留守だったが、母親はいた。小柄で眼《め》の青い、うぶ毛の多い女でね、心配と怒《いか》りでふるえていた。むろん息子の潔白は信じきっていたが、オールデカーが殺されたことには、驚《おどろ》きもしなければ、気の毒とも思わないという。それどころか、オールデカーのことを口をきわめて罵倒《ばとう》し、無意識のうちに警察がわの信念を強めさせるような態度を示した。ふだんあんなことを口にしていたとすれば、息子のマクファーレンにオールデカーを憎《にく》み、暴力を加える原因を植えつけていたことになる。

『あの人は人間ではありません。性悪《しょうわる》の狡猾《こうかつ》な猿《さる》です。若いときから、ずっとそうです』そういうんだ。

『若いころから知っているのですか？』

『知っていますとも。じつをいうと彼《かれ》は私の求婚者《きゅうこんしゃ》です。でもねえ、あんな人をさけて、たとえ貧しくても、よい人と結婚する分別が私にあったのは、神様のお導きだと存じています。まだあの人と婚約しているころですけれど、ある日あの人が鶏小舎《にわとりごや》の中へ猫《ねこ》を放したという怖《おそ》ろしい話を聞いて、まあ何という残酷《ざんこく》なことをする人でしょうと、すっかりふるえあがって、それきりあの人との関係も断ってしまいました』

こういって彼女《かのじょ》は簞笥《たんす》の中を搔《か》きまわしていたが、ズタズタにナイフで切りきざんだ女の写真を一枚とりだした。

『これは私の写真なんですよ。あの人は私の結婚式の朝、こんなことをして呪《のろ》いの言葉までつけて送ってよこしましたの』

『ふむ、しかし今ではあなたを許していたのでしょう。そのしるしに、全財産をあなたの息子さんに贈《おく》ったじゃありませんか』

『とんでもない！　生き死ににかかわらず、私たちはあの人から塵《ちり》一本でも貰《もら》う気はありません。ホームズさん、天には神様がいらっしゃいます。あの悪人をお懲《こ》らしめになった神様はきっと、息子の手があの人の血で汚《よご》れていないことも、証明《あかし》を立ててくださるに決っています』と彼女は荒《あら》っぽくいいはなった。

なお二、三誘導《ゆうどう》してみたけれど、期待するような返事が得られないばかりか、いろんな点でこっちの考えとは逆の材料になりそうでさえあったから、ここは見きりをつけて、ノーウッドへ廻《まわ》った。

ノーウッドのディープ・ディーン荘《そう》というのは、けばけばしい煉瓦建《れんがだて》の大きな近代的な別荘風の家だった。一戸建で、表に月桂樹《げっけいじゅ》の寄せ植のある芝生《しばふ》があって、右よりの奥《おく》が例の火事のあった材木置場になっている。ここに手帳を破って、だいたいの平面図を画《か》いてきた。左側のここにオールデカーの寝室《しんしつ》の窓がある。この図でもわかるとおり、道路からこの窓の中が覗《のぞ》けるようになっている。この点だけが、きょうの収穫《しゅうかく》のうちでたった一つ僕への慰《なぐ》さめさ。レストレードはいなかったが、部下の主任巡査が留守を預かっていて、ちょうどたいへんな物を掘《ほ》りだしたところさ。彼らはけさから焼けあとを掻きまわした結果、黒こげになった動物質のほかに、変色した金属製の小円板をいくつか発見したのだ。僕も見せてもらったが、問題なくズボンのボタンで、その中にはオールデカーの服屋のハイアムスとはっきり名入りのもあった。

それから僕は、芝生に何か痕跡《こんせき》はないかと、丹念に調べてみたが、最近の日でりつづきで何もかも鉄のように硬《かた》くなっているから、足跡《あしあと》一つ見あたらない。たった一つ、材木置場との境いのイボタの低い生垣《いけがき》を、人間か大きな荷物か知らないが、曳《ひ》きずって越《こ》した跡を発見しただけだ。みんなレストレードの説を裏がきするものばかりだから、いまいましい。僕は八月の太陽を背なかいっぱいにうけて、一時間も芝生を這《は》いまわったが、さて立ちあがったときは、何の得るところもなかった。

芝生は大失敗だったから、つぎに寝室へいった。血痕はほんの僅《わず》かで、ちょっとした汚点《おてん》としてその部分が色が変っているにすぎなかったが、それでも血痕には違いなく、しかも新しいものだった。ステッキはもうなかったが、これも血痕は僅かだというし、マクファーレンの持物には相違《そうい》ない。自身それを認めているのだからね。絨氈《じゅうたん》には二人の足跡はあるが、第三者のものは一つもなかった。これもレストレードに有利な材料だ。どうもこのところ向うはつぎつぎと材料が出揃《でそろ》ってくるのに、こっちは一歩もすすまない。

一つだけ、ほんのかすかながら、希望を認めたから、よく調べてみたが、残念ながら得るところはなかった。金庫の内容を調べたところ、大部分はとり出して、テーブルのうえにおいてあったが、封筒《ふうとう》に入れて封蠟《ふうろう》で密封してあって、当局の手で開封したのも二、三あった。僕の見るところでは、みんな大した値うちのものはなく、またオールデカーの銀行通帳も、評判の金持らしくもない内容だった。どうもこれで全部とは思えない。何かもっと値うちのある証書の類《たぐい》があるらしい形跡があるのだが、見あたらない。こいつの紛失が確実に証明できたら、近い将来自分の相続すべき物を盗む奴《やつ》はないといったレストレードめを、ギャフンといわしてやれるのだがねえ。

結局うるところはなかったが、見るべきものを全部見てしまったので、最後の望みを托《たく》して家政婦に会うことにした。レキシントン夫人というのが名前だが、彼女は小柄で浅ぐろい無口な女で、疑《うたぐ》りぶかそうな横目を使う女だった。自分でその気にさえなれば、何かいうことを持っているナと僕は睨《にら》んだが、どうしたものか封印したように口を噤《つぐ》んで、肝心《かんじん》のことは何もいおうとしない。マクファーレンさんは九時半に、たしかにお通し申した。あんな人なら、お通しする前にこの手が萎《な》えてしまえばよかったのにと思う。十時半に床《とこ》についたが、部屋が反対がわの端《はし》にあるので、家の中で何があったか、その後のことは何も知らない。マクファーレンさんは帽子《ぼうし》と、たしかステッキもホールへおき忘れて帰った。火事の声で初めて眼がさめた。お気の毒な主人はきっと殺されなすったのだろう。生前敵はなかったかって？　どんな人でも、男は敵のあるものだけれど、主人はほとんど交際もなく、商売関係の人以外にはお客もないくらいだった。焼跡から出たというボタンは見たが、たしかに主人のもので、しかも前夜着ていた服についていたはずだ。ひと月も雨が降らないで材木がすっかり乾《かわ》ききっていたから、大変な勢いで燃えあがって、自分が出てみたときは一面の火の海で、何も見えるどころではなかった。消防士もそうだが、その火の手の中に肉の焼ける臭《にお》いをかいだ。書類や、そのほか主人の私事《しじ》については何も知るところがない。

というわけで、ワトスン君、以上失敗の報告だが、しかし……しかし……」

ホームズはいかにも強い確信を押《お》さえかねるように、痩《や》せた拳《こぶし》を握《にぎ》りしめながら、

「こんなはずはない。みんな間違っているんだ。僕にはそれが直感的にわかるんだ。まだ表面に出ていない何ものかが伏在《ふくざい》しているのだ。あの家政婦がそれを知っている。あの女の眼には、むっつりと不貞《ふて》くされたところがあった。あれは悪事を内心に抱《いだ》くものだけに特有の眼だ。だが、こんなことをいくら話してみたって、何にもならないね、ワトスン君。このノーウッド失踪《しっそう》事件もいずれは辛抱《しんぼう》づよい世間の人たちに発表されるのだろうが、何か思いがけない幸運でもころげこんでこない限り、われわれの事件記録のうち、成功した部門には入れられないわけだね」

「でも、マクファーレンのあの様子を見たら、陪審員も考えないだろうか？」

「いやワトスン君、その考えかたは危険だよ。バート・スティーヴンスという怖ろし

い殺人鬼を覚えているだろう？　一八八七年に、無実を訴えてきた男だが、まるで物《もの》腰《ごし》のやさしい、日曜学校へでも行きそうな青年だったじゃないか」

「まったくだね」

「これは何か別の説明を見つけて、われわれでそれを証明してみせないかぎり、マクファーレンを助ける道はない。あの男にたいする有罪論には、いまのところ欠陥《けっかん》がないのだ。いや、調べれば調べるほど、それが確認《かくにん》されてきた。ついでだがオールデカーの書類には、ちょっと妙な点が一つあった。ひょっとすると、これが新しい捜査《そうさ》の端緒《たんしょ》になるかもしれない。銀行通帳をよく調べてみると、あの男の預金残高が少ないのは、この一年ばかりのあいだに、コーネリアスという者に対して、かなり多額の小切手を何枚か振り出しているためなんだ。隠居《いんきょ》建築士の身で、そう多額の小切手を振り出した相手コーネリアスとはいったい何者だろう？　それがわかると面白いのだが、この男がこんどの事件に関係しているのだろうか？　ブローカーかとも考えられるけれど、それにしてはあの大金の授受に該当《がいとう》する書類が一枚も残ってない。ほかの端緒が全部駄目になったんだから、捜査はこの一点に向けて、この小切手はいったい誰が現金に替《か》えてるか、そこを僕は銀行で突《つ》きとめなきゃならない。しかしねえ、この事件はレストレードがあの依頼人《いらいにん》を絞首台《こうしゅだい》へ送ることによって、不名誉《ふめいよ》な結末を告げそうだねえ。警視庁の大勝利さ」

その晩ホームズがどのくらい眠ったか——少しは眠ったのか、私はまるで知らないが、翌朝食事のため降りてみると、彼は青ざめやつれて、眼ばかりギラギラさせていた。眼のまわりがどす黒くなったので、いっそうそれが眼につく。椅子《いす》のまわりの絨氈の上には、煙草《たばこ》の灰が散乱し、早刷りの朝刊が読みすててあった。テーブルの上に電報が一通ひろげてある。

「これをどう思うね、ワトスン君？」

ホームズがテーブルごしに投げてよこした電報はノーウッド局発で、次のような文句だった。

「重大ナ新証拠《シンショウコ》アラワル

マクファーレンノ犯行ハ動カヌ事実ナリ　本件カラ手ヲ引クコトヲ勧告《カンコク》ス」レストレード

「これは重大なことになったね」私はいった。

「レストレードのけちな勝関《かちどき》さ」ホームズはにが笑いを浮《うか》べて、「そうはいっても、いま手を引くのは早すぎるかもしれない。どうせ重大なる新証拠といったって、諸刃《もろは》の刀なんだ。レストレードの思いもよらぬ方向へ斬《き》りこむ事になるくらいのもんだ。ワトスン君、食事をすませたら、いっしょに出かけてみよう。きょうは君に行ってもらって、精神的な支持をしてほしい気がする」

ホームズは、自分では何も食べなかった。これは彼の妙な癖《くせ》の一つで、精神的に緊《きん》張《ちょう》してくると、食事など摂《と》ろうとしないのである。鉄のような強さを過信して、ついに極度の栄養失調のため倒《たお》れたことさえあるのを私は知っている。医者として忠告でもしようものなら、

「いま僕は、消化作用なんかのために、精根や神経を費やしてはいられないのだ」

と、こうである。だからこの朝も、彼が食事に手をつけないで、ノーウッドへと出かけても、少しも私は驚きはしなかった。

ノーウッドのディープ・ディーン荘は、まえに述べたような郊外の別荘であるが、まわりには物見高い群衆がもう集っていた。門の中で会ったレストレードの顔は勝利に輝《かが》やき、態度も露骨《ろこつ》に勝ちほこっていた。

「やア、ホームズさん、われわれの誤っている証拠はまだですか？　浮浪者とやらは見つかりませんか？」

「私はまだ結論を下《くだ》していませんよ」

「私はきのうすでに下しましたよ。それが正しいという証明もあります。だからこんどこそは、ひと足お先に失敬しましたよ。兜《かぶと》を脱《ぬ》いでもらいますかな」

「何か珍《めず》らしいことでもあったと見えますな」

レストレードは無遠慮《ぶえんりょ》に大きな声で笑っていった。

「ホームズさんときたら、われわれ以上に負けず嫌《ぎら》いですからな。いつでも自分の思うとおりになると思うと、間違《まちが》いますよ。――ねワトスン先生、そうでしょう？　さ、どうぞこちらへ、紳士《しんし》がた。犯人はジョン・マクファーレンだと納得《なっとく》させてあげましょうよ」

彼は廊下《ろうか》をぬけて、そのさきのうす暗いホールへ私たちを案内した。

「マクファーレンのやつは犯行後に、ここへ忘れた帽子をとりに入ってきとるのですよ。まアこれを見てください」といってレストレードは、わざと唐突《だしぬけ》に芝居がかったしぐさでマッチをすって、白塗《しろぬ》りの壁《かべ》の上にある血痕を照らしだした。彼がマッチを近づけたのでよく見ると、それは単なる血痕ではなく、親指の立派な指紋《しもん》であった。

「ホームズさん、拡大鏡で見てくださいよ」

「いま見るところです」

「同じ指紋は二つとしてないのはごぞんじでしょうな？」

「そういう話ですな」

「それではですな、けさマクファーレンの右手の親指の指紋をとらせておきましたから、これと比較《ひかく》してみてください」

レストレードは蠟《ろう》にとった指紋を、壁のそれに近づけたが、拡大鏡を用いるまでもなく、二つが全く同じ親指の指紋であるのは明瞭《めいりょう》だった。いよいよこれでは、あのマクファーレンは気の毒ながら絶望というほかはない。

「こいつは決定的です」レストレードがいった。

「ふむ、決定的ですな」私が引きとって同意した。

「決定的さ」ホームズもいった。

だがその調子が妙だったので、振《ふ》りかえってみると、彼の顔には異常な変化が現われていた。内心の歓喜にひきゆがめられているのである。双眼《そうがん》は星のように輝やいている。こみあげてくる笑いを、けんめいの努力でこらえているようであった。

「おやおや、これは驚きいったね。まったく思いもよらないことだった。これだから外見に騙《だま》されてはいけないというのだ。いや、見るからにあんな立派な青年がねえ。これはね、自分の判断にも信頼《しんらい》はできないという教訓ですよ、ねえ、レストレード君」

「そうですよ。われわれのまわりにも少し自惚《うぬぼ》れの強すぎるのがいますからね」レストレードはいった。その態度はがまんのならないほど不遜《ふそん》だけれど、残念ながらどうすることもできなかった。

「掛釘《かけくぎ》から帽子をとろうとして、あの青年が壁に右手の親指を押しつけてくれたとは、何という神の摂理《せつり》だろう！　それに、よく考えてみれば、これはまったく自然な動作ですよ」

ホームズは表面おだやかではあったが、内心の興奮を圧《お》しころすのにけんめいで、そわそわしている。

「ときにレストレード君、この指紋は誰《だれ》が見つけましたか？」

「家政婦のレキシントン夫人がゆうべ、夜警の巡査《じゅんさ》に知らせてくれました」

「その巡査はどこにいたのですか？」

「凶行《きょうこう》現場の寝室の警戒《けいかい》にあたっていたのです。誰にも手をつけさせないようにね」

「なぜあなたがたは、きのうこれを発見しなかったのでしょう？」

「こんなホールなんか、特に注意して捜査すべき理由もありませんよ。それに何しろ、こんなむさい場所ですからねえ」

「そうですとも。それはそうですよ。これは昨日からここにあったことはまちがいないでしょうな?」

レストレードは、ホームズが発狂《はっきょう》したのではないかというふうに、怪訝《けげん》な顔で彼を見やった。私にしても彼の人を小馬鹿《こばか》にした言説や、妙《みょう》にうきうきしたはしゃぎかたには意外の感にうたれた。

「マクファーレンが自分に不利な証拠を残しに、真夜中にわざわざ監房《かんぼう》をぬけだして来たとでもおっしゃるんですか? この指紋があの男のものでないというんなら、どんなその道の専門家にでも鑑定《かんてい》させていいです」

「あの男のものであることは、動かせません」

「それならば問題ないじゃありませんか。私は実際家です。証拠があれば、それによって決論を下すのです。まだ何かお話があるようでしたら、私は居間のほうで報告書を書いていますから、どうぞ」

ホームズはやっと平静をとりもどしたが、私にはその顔にまだ、嬉《うれ》しさのあふれているのが認められた。

「これは困ったことになったね、ワトスン君。しかしどうもおかしいところがあるから、依頼人にとって全然望みがないでもないと思うよ」

「それはうれしい話だ。僕《ぼく》はまた、全然見こみはないかと思っていた」

「いや、そこまではっきり言いきるわけには、まだゆかないんだ。事実はね、この証拠には、レストレードはたいへん重要視しているけれど、見逃《みのが》しがたい欠陥が一つあるんだよ」

「へえ！　何だい？」

「簡単なことさ。この指紋は、きのう僕がホールを調べたときには、なかった。それよりもワトスン君、そとへ出て、少し日なたをぶらつこうじゃないか」

混乱のうちにも私は、少しずつ希望が湧《わ》きおこるような暖かさを心に感じながら、ホームズについて庭へ出ていった。彼は静かに家の周囲を歩いてまわりながら、あらゆる角度から建物を注意ぶかく観察していたが、こんどはなかへ入って、地下室から屋根裏まで、仔細《しさい》に実地検分をした。大部分は家具もない部屋だったが、どの部屋も念入りに調べていった。最後に、最上階の、使っていない寝室が三つ並《なら》んでいる廊下に立って、またしても彼はよろこびの発作《ほっさ》を起してしまった。

「この事件にはすばらしいユニークな特徴《とくちょう》があるよ。もうそろそろレストレードにほんとのことを知らせてやってもいいだろう。あの男はさっき僕たちを少し嘲笑《ちょうしょう》したから、僕の解釈が正しいと証明されたら、こっちから笑いかえしてやろうよ。うむ、そうだ、証明するにはうまい方法がある」

　ホームズが居間に入ってゆくと、レストレードは書きものをしていた。

「報告書ですね」ホームズはこう切りだした。

「ええ、そうです」

「いま書くのは少し早すぎると思いませんか？　あなたの証拠材料は、まだ完全ではないという気がしてなりませんよ」

　ホームズのふだんをよく知っているレストレードは、さすがにこの妙な言葉を聞き逃さなかった。彼はペンをおいて、変な顔でホームズを見あげた。

「それはどういう意味です？」

「君がまだ会っていない重要な証人が一人いるというだけのことですよ」

「連れて来られませんか？」

「来られると思います」

「では連れてきてください」

「ひとつやってみましょう。君の部下はいまいく人いますか？」

「呼べば三人は来るでしょう」

「十分です。ときに、みんな大柄《おおがら》で強くて、声も大きいですか？」

「むろんそうですが、声の大きいのが何か役にたちますか？」

「いまにご覧にいれますよ、いろいろとね。じゃ部下を呼んでください。やってみますから」

五分間ばかりで、三人の巡査が玄関《げんかん》に集まってきたので、ホームズは指令を下した。

「納屋《なや》へゆくと麦わらがうんとあるから、すまないが二束《ふたたば》ばかり取ってきてください。証人を喚問《かんもん》するのに、ぜひ要《い》るんです。いや、どうもありがとう。ワトスン君はマッチを持っていたね？　じゃレストレード君、みんな一緒に一番うえの廊下まで来てください」


前にもいったように、最上階は広い廊下があって、使わない寝室《しんしつ》が三つならんでいた。その廊下の一端《いったん》に、ホームズの命令で私たちは整列した。巡査たちは苦笑するし、レストレードは驚異《きょうい》と期待と嘲笑のまじった顔つきで、じっとホームズの顔いろを見ている。ホームズは、これから手品を演ずる奇術師《きじゅつし》のように、私たちの前に立った。

「レストレード君、すみませんが巡査のかたに、水をバケツに二杯汲《はいく》んできてもらってください。それから麦わらはこの廊下のまん中へ積んでください。両方の壁にくっつけないようにね。さて、これで用意はすっかりできたようです」


レストレードの顔はまっ赤に怒気《どき》をふくんできた。

「ホームズさん、これは何のまねです、私たちをからかうつもりですか！　何か知ってるなら、馬鹿なまねはよして、早くいったらいいでしょう」

「いやいや、私のすることには、みんなちゃんと理由があるのですよ。さっきは君の旗いろがいいと思って、私を愚弄《ぐろう》したじゃありませんか。私が少しばかり舞台装置《ぶたいそうち》をしたからって、そう文句をいいなさんな。ワトスン君、すまないが窓をあけて、麦わらの端にマッチで火をつけてくれないか」

私はいわれた通りにした。すると風に煽《あお》られて、灰色の煙がもくもくと渦《うず》まいて廊下を這《は》い、麦わらはパチパチ音をたてて燃えあがった。

「さ、レストレード君、それではこの証人がうまく出てくるかどうかやってみましょう。みんな声をそろえて、火事だッとどなってください。いいですか、一、二、三――」

「火事だアッ！」一同声をそろえて叫《さけ》んだ。

「ありがとう。もう一度」

「火事だアッ！」

「その調子でもう一度頼《たの》みます」

「火事だアッ！」この叫び声はノーウッド中に響《ひび》きわたったに違いない。

と、この三度めの声のまだ消えるか消えぬうちに、驚《おどろ》くべき事が起った。廊下のつきあたりの、それまではただの堅《かた》い壁だとばかり思っていた場所が、パクリと口をあいて、まるで穴からとびだす兎《うさぎ》のように、小柄でしなびた男がころがり出てきたのである。

「ようし」ホームズは平静である。「ワトスン君、バケツの水を一杯、麦わらにかけてくれたまえ。それで結構だ。レストレード君、行方《ゆくえ》不明の重要証人ジョナス・オールデカー氏を紹介《しょうかい》します」

レストレードはあまりの意外さに呆然《ぼうぜん》として、とびだしてきた男を見つめた。出て来た男のほうは廊下が明るすぎるので、まぶしそうに眼《め》を瞬《しば》たたきながら、私たちや、くすぶる麦わらを凝視《ぎょうし》していた。それはよく動くうすい灰いろの眼と白いまつ毛とをもつ、狡猾《こうかつ》そうな憎《にく》たらしい顔つきであった。

「これはどうしたというんだ？　君は今までいったい何をしていたんだ？」レストレードがどなった。

憤怒《ふんぬ》でまっ赤になった警部の剣幕《けんまく》に、オールデカーは不安そうな笑いを浮べて尻《しり》ごみした。

「私は何も悪いことはしませんよ」

「悪いことはしない？　罪もない男を絞首台に送るようなことをやっといて！　この方がいてくれなかったら、お前の計画はまんまと成功したかもしれないんだ」

「冗談《じょうだん》にちょっと悪戯《いたずら》をやっただけなんで」みじめな老人は泣き声をだした。

「なに、冗談に悪戯だ？　よし、冗談ならいまにきっと笑ってやるから、あっちで待ってろ。おい君たち、この男を下へつれてって、居間で待っててくれ。すぐに行く」

レストレードは巡査たちにオールデカーをつれ去らせておき、ホームズに向って言葉をつづけた。

「部下の前じゃいうにもいえなかったんですが、ワトスンさんならかまいません。実に今までにない素晴らしい腕《うで》ですなア。どうしてわかったんですか？　あなたは無実の人物の命をたすけたうえ、怖《おそ》るべき恥《はじ》さらしを喰《く》いとめてくださった。すんでのところで私は警察界における名声を失なうところでしたよ」

ホームズはにこにこして、レストレードの肩《かた》をぽんと叩《たた》いた。

「名声を失なうどころか、君の評判はおそろしく高くなりますよ。いま書いている報告書に、ちょっと訂正《ていせい》を加えたまえ。そしてレストレード警部の眼をごまかすのが、いかに困難であるかを知らせてやるんですな」

「で、あなたはどうなんです？　名前を出さなくてもいいんですか？」

「そんなものはちっとも。僕には仕事そのものが報酬《ほうしゅう》ですよ。それにね、いつかは僕の熱心な伝記作者がまた原稿《げんこう》用紙をひろげることになるだろうから、そのとき信用はいくらも獲得《かくとく》できますよ、ねえ、ワトスン君？　ところで、鼠《ねずみ》はいったい、どんな場所にいたのかな？」

廊下は行きづまりから六フィートばかりのところで、いっぱいに仕切り、木摺《きずり》と漆喰《しっくい》でかためて、それとわからぬよう巧《たく》みに扉《とびら》が設けてあった。光線は軒《のき》の下の隙間《すきま》からとるようになっている。家具が少しばかりに食物と水も用意され、本も何冊か、書類と共に備えられていた。

「建築士の強みだね」ホームズは穴の中から出てきながら、「誰にも秘密をあかさずに、こんなうまい隠《かく》れ場が作れたんだ。ただあの家政婦のほかはね。そういえばレストレード君、あの女も早く押《おさ》えておいたほうがいいですね」

「そうしましょう。だがホームズさん、どうしてこんな場所のあるのを知ったんです？」

「あの男は必ずこの家の中に隠れていると結論したのです。それでいろいろ調べているうちこの廊下を歩いてみて同じ長さであるべきこの下の廊下よりも六フィートだけ短いのを知ったので、隠れ場はわかりました。あの男が、火事だと聞いて、まだ落着いて隠れていられるほどの度胸のないのはわかっていた。もちろん踏《ふ》みこんで押えるのは容易だけれど、それよりも自分で飛びださせたほうが面白《おもしろ》いと思ってね。それにレストレード君には少々借りがあった。君はきょう僕を煙《けむ》にまいて、からかったじゃないですか」

「じゃ、お返しはたしかにちょうだいしました。ですけれど、この家の中にいるというのは、どうして知ったんですか?」

「指紋ですよ。君はあれを決定的だといったけれど、全く違う意味で決定的だったのです。指紋はきのうはあそこになかった。君も承知していると思うけれど、私は細かいことに細心の注意を払《はら》うのです。きのうあのホールはよく調べたが、たしかにあそこに指紋はなかった。だからあれは、夜のうちに着けたものです」

「だって、どうして着けられます?」

「きわめて簡単だ。あの書類に封《ふう》をするとき、オールデカーはマクファーレンに、まだ固まっていない封蠟《ふうろう》の部分に親指をあてて持たせるように仕向けたのです。ごく自然に、咄嗟《とっさ》のことなので、マクファーレンもおそらく覚えてはいないでしょう。まったくの偶然《ぐうぜん》で、オールデカー自身も、あとでそれを使うつもりなんかなかったのかもしれない。ところが隠れ家にいて、あれこれと考えているうち、ふと思いついたのが、その指紋を使えばマクファーレンを絶対の、致命《ちめい》的な証拠《しょうこ》で縛《しば》れるということです。封蠟の指紋を蠟型にとって、自分の指先を針でついて出した血をつけ、夜のうちにホールの壁へ印刷しておくくらいは、自分でやったか家政婦にやらせたか知らないけれど、ごく容易なことです。あの男が隠れ家へ持ちこんでいる書類を調べてみたまえ。封蠟に指紋のあるのが必ず見つかるから」

「驚いた！　実に驚きましたな。お話をきいて、すっかりよくわかりました。しかしオールデカーはいったい何が目的で、こんな手のこんだ詐欺《さぎ》を企《たく》らんだのでしょう？」

レストレードの傲慢《ごうまん》な態度が急にしぼんで、まるで子供が先生に物を訊《たず》ねるような調子に変ったのは、そばで見ていて実に愉快《ゆかい》だった。

「その説明も、さして困難ではないでしょう。このジョナス・オールデカーという男は、怖ろしいほど執念《しゅうねん》ぶかい悪人です。この男がマクファーレンの母親に、むかし婚《こん》約《やく》を破棄《はき》されたのを知っていますか？　知らない？　だからノーウッドよりもブラックヒースをさきに調べるべきだと、僕は注意したんですよ。これをひどい侮辱《ぶじょく》と考えたこの男は、計画的な意地わるい頭の中にそのことが蟠《わだか》まって、ほとんど終生復讐《ふくしゅう》のことばかり考えているが、機会がない。ところがこの一、二年運が悪くて、おそらく秘密の投機か何かだと思うけれど、財政の状態が悪くなってきた。そこで債権者《さいけんしゃ》を騙《だま》すことに肚《はら》をきめて、まず預金の大部分をコーネリアスという者に小切手で渡《わた》す。コーネリアスはたぶん本人の別名だと思う。この小切手はまだ突《つ》きとめていないけれど、どこか田舎《いなか》の、オールデカーがしょっちゅう行っては二重生活をしていた小さな町の銀行に入れてあるに違《ちが》いないと思う。この男は金だけ持って姿をかくし、まったく名前をかえて、どこか別の土地で新しい生活をはじめるつもりでいたのです」

「いかにもありそうな話ですね」

「姿をかくすについては、絶対に足のつかないようにもしたいし、また、昔《むかし》の恋人《こいびと》にたっぷりとこっぴどい復讐を加えたくもある。それには昔の恋人の息子《むすこ》が自分を殺したと見せかけられれば、一石二鳥の効果があげられる。悪の傑作《けっさく》というか、あの男はみごとにやり遂《と》げました。実によく考えたものです。遺言状《ゆいごんじょう》の思いつきは立派に殺害の動機と認められるだろうし、両親には内密で来させたり、ステッキを隠して渡さなかったり、血をつけたり、焼跡《やけあと》から黒こげの動物質やらボタンやら出るようにしたり、実によく考えてあります。すっかり網《あみ》をはりめぐらしてあるから、マクファーレンの助かる道は到底《とうてい》あるまいと、けさまでは思っていたのだけれど、残念ながらあの男は芸術家の天賦《てんぷ》の才に欠けていた。どこで筆を措《お》くべきかを知らないのです。すでに完全なものを、さらに改善しようとした。不運な犠牲者《ぎせいしゃ》の首にまきつけた綱を、もっときつく締《し》めようとして、かえって破滅《はめつ》をまねいたのです。じゃレストレード君、下へいってみましょう。二、三あの男に質問したいこともある」

悪人は、左右を巡査に守られて、自分の居間に納まっていたが、私たちが入ってゆくと、哀《あわ》れな声で泣きごとを並べたてた。

「冗談にしたことなんです。ちょっとした悪戯で、深い意味はありゃしません。私が姿を隠したら後はどんなことになるか、ちょっとやってみただけですよ。お願いですから誤解しないでください。あの若いマクファーレン君の身に害を及《およ》ぼそうなんて、そんな悪い考えは毛頭持っちゃいません。ほんとうですよ」

「そんなことは陪審団《ばいしんだん》のきめる問題だ」レストレードがきめつけた。「とにかく殺人未遂《みすい》とはいかなくても、陰謀罪《いんぼうざい》の嫌疑《けんぎ》でやってやる」

「それに君の債権者たちは、おそらくコーネリアス君の銀行預金を押収《おうしゅう》するだろうね」

ホームズがこういうと、オールデカーはぎくりとして、憎悪《ぞうお》の眼でホームズを見た。

「あんたのご親切にはお礼をせねばなりません。いずれこの借りは返しますからな」

ホームズは寛大《かんだい》に微笑《びしょう》をうかべて、

「せっかくだが、二、三年は君にそんな暇《ひま》はないだろう。ときに、君が材木の中に入れたのは何ですか？　古ズボンのほかは、死んだ犬ですか？　兎ですか？　それとも何です？　いいたくない？　おやおや、何という不親切な！　まあいい、兎の二羽もあれば、血痕《けっこん》や得体《えたい》の知れぬ黒こげ死体の説明には十分だろう。ワトスン君、きみもいつかこの事件を筆にするんだったら、兎で間にあわせておくんだね」

——一九〇三年十一月『ストランド』誌発表——

# 三人の学生

一八九五年のことだったが、いろんな事件の関係で――その事件の内容についてはここで説明する必要はないだろうが――シャーロック・ホームズと私はある有名な大学町で数週間をすごしたことがある。これから話そうとする小さいながらも教訓的な事件は、そのあいだに経験したものである。それがどのカレッジであるか、犯人はどの何という人物であるか、読者にはっきりわからせるような書きかたをするのは、不謹慎《ふきんしん》でもあり、失礼であろう。あんなにいたましい恥《はじ》さらしは、一日もはやく葬《ほうむ》りさったほうがよいのだ。しかしながら叙述《じょじゅつ》に然《しか》るべき手心さえ加えれば、事件そのものは私の友人のたぐいまれな才能を世に紹介《しょうかい》するに役だつと思うのである。以下私は、事件のあった場所や、関係した人たちのわかる手がかりを与《あた》えることのないように気をつけて、記述をすすめることにしよう。

当時私たちは、初期イギリスの勅許状《ちょっきょじょう》に関する骨の折れる研究のため――その研究の成果がいかに驚嘆《きょうたん》すべき業績となって現われたか、いつか一度は話すこともあろうと思うが——ホームズがかよっていた図書館にちかく、家具つきの部屋を借りて住んでいた。この部屋である晩私たちは、ヒルトン・ソームズ君といって、セント・リュークのカレッジで講師兼《けん》指導教師をつとめていた一面識のある人の訪問をうけたのである。ひょろりと背がたかくて、神経質な、激《げき》しやすい人で、いつでも落ちつきなくそわそわしていたが、その晩はよくよくの重大問題でもあるのか、とくに興奮をおさえかねるといった様子だった。

「ホームズさんのお忙《いそが》しいのは十分承知していますが、私のため貴重な時間を二、三時間おさきねがいたいのです。じつは学校に困った問題がおこりまして、幸運にもあなたがこの町にご滞在《たいざい》でなかったら、どうしてよいやら、ほとほと途方《とほう》にくれるところでした」

「私はいまたいへん忙しいのでして、ほかのことに気をちらされたくないのです。せっかくですが警察へご相談ねがえませんか？」

「いや、それがぜったいに出来ないのです。警察は動きだしたらとめることは出来ません。よくあることですが、学校の名誉《めいよ》のため、スキャンダルは表沙汰《おもてざた》に絶対出来ないのです。あなたは手腕《しゅわん》も手腕ですが、思慮《しりょ》ぶかいので有名です。私としてはあなたをおいてほかに、助けていただける人はありません。ホームズさん、お願いですから何とかしてください」

　ホームズは住みなれたベーカー街をあとにしてから、けっして機嫌《きげん》がよくはなかった。切抜帳《きりぬきちょう》や化学薬品や、よそゆきでない乱雑さの中にいないと、心が落ちつかぬらしい。無愛想に肩《かた》をすくめただけで、しぶしぶ承諾《しょうだく》すると、客は早口に、大袈裟《おおげさ》な身《み》振《ぶ》りまじりに説明をはじめた。

「まず申しあげなければならないのは、あすがフォーテスキュー奨学金《しょうがくきん》試験の初日にあたることです。私も試験委員の一人でして、受けもちはギリシャ語ですが、第一問はかなり長文のギリシャ語英訳です。この文章は志願者のまだ読んだことのないはずのものでして、試験用紙のはじめに印刷してあります。志願者としてはあらかじめこの文章を読むことができたら、きわめて有利なのは申すまでもありませんから、試験用紙の秘密保持には、非常に苦心をはらいました。

　きょう三時ごろに、印刷所からこの試験用紙の校正刷りが届きましたが、問題というのはじつはツキュディデス(訳注 ギリシャの歴史家)のある章の半分なのです。誤植はぜったい許されませんから、綿密に眼《め》をとおしましたが、四時半になっても終りません。ところがその時刻に友人の部屋へお茶をのみにゆく約束《やくそく》があったので、校正刷りをテーブルの上においたまま部屋を出たのです。

部屋をあけたのは一時間あまりでしょう。ホームズさんもご承知と思いますが、学校はすべてドアが二重になっています。内側に緑いろの羅紗《らしゃ》をはったかるいドアがあって、その外が樫《かし》の丈夫《じょうぶ》なドアになっているのです。部屋へ戻《もど》ってみますと、おどろいたことに外のドアに鍵《かぎ》がさしこんであります。はじめは自分が忘れていったのかと思いましたが、ポケットをさぐってみると、鍵はちゃんとあります。予備の鍵はもう一つだけありますが、これはバニスターに持たせてあります。バニスターは私の十年来つかっている召使《めしつか》いで、部屋の掃除《そうじ》をしたり、私の身のまわりの世話をしてくれる男ですが、きわめて正直ですから、疑いの余地はありません。

調べてみますと、鍵はやはりバニスターのでした。私がお茶がほしいのではないかと思って、ききに入ったのですが、不注意にも出るとき忘れて鍵をのこしていったのです。私が部屋を出たあとへ、ほとんど入れちがいのように入っていったらしいのです。これが普通《ふつう》の日ならば、鍵を忘れていったからといって、べつだん大したことでもないのですが、きょうばかりはそうはゆきません。まことに困ったことになってしまいました。

部屋へ入ってみて私はすぐに、誰《だれ》か試験用紙に手をふれたなと気がつきました。校正刷りはながい紙三枚になっていましたが、ちゃんとそろえてテーブルの上においたのに、一枚は床の上に落ちており、一枚は窓のちかくの小さなテーブルに、あとの一枚はもとの場所にありました」

ホームズはこのときはじめて顔をあげていった。「第一ページが床の上に、第二ページが窓のそばに、第三ページはもとの場所にあったのですか？」

「そのとおりです。おどろきましたな。どうしておわかりになったのですか？」

「いかにも面白《おもしろ》い。どうぞ話のさきをつづけてください」

「いちどはバニスターめが、余計なことをしたのかと思いましたが、きいてみるとぜったいに覚えがないといいはります。考えてみるとその言葉にうそはありますまい。バニスターでないとすると、誰かがとおりかかって、鍵がさしこんであるのを見て私の留守を知り、試験問題を見に入ったのでしょうか？　この奨学金は大きいのですから、試験に合格すれば多額のお金が手に入ります。競争にうちかつためには、あえて危険を冒《おか》す無法な男もあるかもしれません。

バニスターはそれを知って、ひどくとり乱しました。ことに誰かがたしかに試験問題をいじったことを知ると、気絶でもしそうになりました。私はブランディをすこし飲ませて、椅子《いす》に休ませてやりました。私は自分で部屋の中をこまかに調べてみました。すると誰か入ったらしい形跡《けいせき》はほかにも見あたりました。窓のそばのテーブルの上に、鉛筆《えんぴつ》のけずり屑《くず》がこぼれているばかりか、芯《しん》の折れも落ちています。忍《しの》びこんだやつが、大急ぎで写しとるうちに、芯を折ったので削《けず》りなおしたものにちがいありません」

「それはうまい！　あなたは幸運にめぐまれたのですよ」話の面白みに釣《つ》りこまれて、ホームズはすこし機嫌がなおってきたらしい。

「そればかりじゃありません。私は上に赤い皮を張って美しく磨《みが》きこんだ新しい書きものテーブルを一つもっていますが、その表面が滑《なめ》らかできずひとつなかったことは、バニスターにお訊《き》きくださってもまちがいありません。ところが、その上に長さ三インチばかりのきずがついているのです。ただの搔《か》ききずではなく、はっきり切りこんだものです。それにまた泥《どろ》か粘土《ねんど》の小さなまるい塊《かたまり》が一つあって、その中に鋸屑《おがくず》かと思われるものが混《まじ》っています。足跡《あしあと》はありませんし、そのほか何者の仕わざと突きとめられるような証拠《しょうこ》はのこっていませんけれども、これらはすべて試験問題を見に忍びこんだものが残していったのにちがいないと思います。

はて困ったことができたと当惑《とうわく》したとき、ふと思いだしたのが、あなたがいまこの町に来ていらっしゃることです。これは一切《いっさい》をあげてあなたにお委《まか》せするにかぎると、そのままこうしてお願いにあがったわけです。ホームズさん、どうかお助けください。

私はいま板ばさみの窮境《きゅうきょう》に追いこまれました。犯人を摘発《てきはつ》するか、それができなければ試験を延期して、新たに問題をつくるしかありませんが、それには理由を説明しなければなりません。そうすると忌《いま》わしいスキャンダルが明るみに出て、学校ばかりか大学ぜんたいに汚点《おてん》をのこすことになります。何はおいても、ことを穏便《おんびん》に処理するのが私の希《ねが》いなのです」

「よろこんで調べてあげますし、できるかぎり助言もしてあげましょう」ホームズは立ちあがって、外套《がいとう》に手を通しながら、「事件としてもまんざら興味がなくはありません。問題の校正刷りが届けられてから、誰かあなたの部屋へ訪ねてきた人がありますか？」

「ダウラット・ラスといって、私とおなじ寮にいるインド人の寄宿学生が、試験のことを訊《たず》ねにきました」

「受験を志願しているのですか？」

「そうです」

「そのとき校正刷りはテーブルの上に出ていましたか？」

「たしかにそのときは、巻いてあったと思います」

「でもそれが校正刷りだということはわかったでしょうね？」

「おそらくはね」

「ほかには誰もこなかったですか？」

「参りません」

「校正刷りが部屋にあるのを、誰か知っていましたか？」

「知っているのは印刷屋だけでした」

「召使いのバニスターはどうです？」

「知るわけがありません。誰にも知らさなかったのです」

「バニスターは今どこにいますか？」

「可哀《かわい》そうに、すっかり病気みたいになっています。椅子に倒《たお》れこんだのを、そのままにして出てきました。それほどこちらへ伺《うかが》うのを急いだわけです」

「ドアは、あけっぱなしでお出《い》でになったのですか？」

「でも校正刷りは鍵のかかるところへしまってきました」

「では問題はこういうことになりますね。インド人の学生が、その巻いてあるのを校正刷りだと気がついたら別ですが、さもなければ問題をいじった人物は、それがそこにあるとは知らずに入ってきて、偶然《ぐうぜん》見つけたというわけですね？」

「私もそう思います」

「じゃ、ともかく行ってみましょう」ホームズは謎《なぞ》のようなふくみ笑いをうかべた。

「これはワトスン君の領分ではなさそうだね、問題は精神上のことで、肉体には関係ないようだからね。しかし、きみさえよかったら、いっしょにきたまえ。それでは、ソームズさん、出かけましょう」


ソームズ先生の居間は、格子《こうし》つきの長くて低い窓から、古いカレッジの苔《こけ》むす中庭が見おろされた（訳注　イギリスの大学はいくつかのカレッジの集ったもので多くは寄宿制度がある）。ゴシック式のアーチ形のドアの外は、すりへった石造の階段である。一階が指導教師の部屋で、階上には、三人の学生が各階に一人ずつ住んでいた。その建物へたどりついたのは、もう黄昏《たそがれ》であったが、ホームズはまず表で立ちどまって、窓をじっと見つめた。それから近よって爪《つま》だち、首をのばして部屋の中を覗《のぞ》きこんだ。

「ドアから入ったものにちがいないです。窓はガラス一枚分だけしか開きませんから」

「おやおや」とホームズは変な微笑《びしょう》をうかべてソームズ君をちらりと見やり、「ここに手がかりがなければ中へ入ったほうがよいでしょう」

ソームズ君は鍵をだして外がわのドアをあけ、私たちを中へ招じいれた。ホームズがまずカーペットを調べるあいだ、私たちは入口に立って待っていた。

「カーペットには何の痕跡《こんせき》もないようです。ちかごろの天気つづきでは、まずそれが当然でしょうね。バニスターは気分がよくなったと見えますね。椅子に休ませておいたということですが、どの椅子ですか？」

「窓のそばのその椅子です」

「わかりました。この小さいテーブルのそばですね？　もう入っていらしてもよいです。カーペットの調べは終りました。まずこの小さいテーブルから始めましょう。ここでどんなことが行われたか、むろん明らかです。犯人は部屋に入ってくると、中央のテーブルから校正刷りを一枚ずつとりあげて、窓のそばのテーブルへ持ってきました。それは、そこからあなたが中庭を横ぎって帰っていらっしゃるのが見えるので、逃《に》げるに都合がよいからです」

「しかし実際はそうはゆかなかったはずです。私は横の入口から帰ってきたのですから」

「ほう、それはよかった！　といっても、やっぱりそれも考えてはいたのでしょう。ところで校正刷りを見せていただきましょう。指紋《しもん》は……ありませんな。まず初めのこの一枚をとって、書き写した。できるだけ略字をつかうとして、写すのに何分かかるでしょう？　少なくとも十五分はかかりますね。一枚写しおわると投げすてておいて、二枚目を手にとりましたが、そのときあなたが帰ってきたので、ひどく慌《あわ》てて逃げたのです。というのは、校正刷りをもとの場所へもどしておかなければ、すぐ発覚するのに、それすらする暇《ひま》のないほど急いでいるのでわかります。あなたがそのドアをあけるとき、誰か急いで階段をかけ上がる足音でも聞えはしませんでしたか？」

「さあ、そんなものは聞えなかったようです」

「そうですかね。何しろ急いで筆記したので鉛筆の芯を折って、削りなおしたことは、あなたもお気のついた通りです。ここが面白いところだよ、ワトスン君。これはただの鉛筆ではない。芯は柔らかく、太さは普通だが、そとは濃青色にぬって、製造会社の名が銀字でいれてある。そしてぜんたいの長さが一インチ半くらいしかない。ソームズさん、いまいった鉛筆をもっている男をさがしてごらんなさい。それが犯人ですよ。なおその男は大きくてよく切れないナイフをもっているはずですから、これもご参考になりましょう」

ソームズ君はホームズの流れるような説明にいささか圧倒《あっとう》されたらしい。「ほかのことは一応わかりますけれど、鉛筆の長さの点だけはどうも……」

ホームズは鉛筆の削り屑にＮＮ《エヌエヌ》と銀文字があって、そのあとにやや長く文字のないのを一つもちだした。

「おわかりでしょう、ほら？」

「さあ、そうおっしゃってもまだ……」

「ワトスン君、いままで君を不当に誤解していたよ。わかりの悪いのは君ばかりじゃなかった。——このNN《エヌエヌ》というのは何でしょう？　これが一つの語の最後であることはおわかりですね？　ごく普通の鉛筆製造会社にJohann Faber《ヨハンファバー》というのがあるのはご承知でしょう？　こんなに削りこんである鉛筆が、どのくらいの長さかは、すぐにわかるじゃありませんか？」とホームズはこんどは窓のまえのテーブルを電灯のほうへ傾《かたむ》けてみて、「写しとった紙がうすければ、この美しい表面に鉛筆のあとが残っているだろうと思ったのに、何もあとはついていませんね。ここにはもう手がかりはないと思いますから、こんどは中央のテーブルを調べましょう。この小さなものが、あなたのいう土のかたまりですね？　だいたいピラミッド型で中空になっています。ふむ、それに鋸屑らしいものも見えていますね。おや、こいつはたいへん面白い。それからきずは——なるほど、明らかにガリッとやってありますね。それもはじめはごくうすくて、終りはぎざぎざの孔《あな》になっている。ソームズさん、面白い事件に私をひっぱりこんでくださって、感謝にたえませんよ。あのドアはどこへ通じていますか？」

「あのさきは私の寝室《しんしつ》です」

「事件発生後に入りましたか？」

「いいえ、すぐあなたのところへ飛んでいったのですから、そんな余裕《よゆう》はありませんでした」

「失礼ですが、ちょっと拝見。おう、これはいい部屋ですね、古風で。ちょっと待ってください、床を調べますから。もう結構です、なんにもないようです。このカーテンは？　あなたは服をカーテンのうしろに掛けておくのですか。ここで隠《かく》れるとすれば、寝台の下は低くて人は入れないし、衣裳簞笥《いしょうだんす》は浅すぎるから、ここしかありませんね。まさか誰も隠れてはいないでしょうな？」

ホームズはいきなりカーテンを引いたが、敏捷《びんしょう》な中に多少ぎごちなさが見られたから、万一の場合にそなえたのだと思う。しかし事実は、誰もひそんでなどいるわけはなく、折れ釘《くぎ》にかけた三、四着の服が現われただけだった。ホームズはその場をはなれかけたが、急にかがみこんだ。

「おや、これは何だろう？」

彼がつまみあげたのは、居間のテーブルの上にあったのと全くおなじピラミッド型の土のかたまりらしいものだった。ホームズは手のひらにそれをのせて、電灯の光にかざした。

「犯人は居間ばかりでなく、寝室にも痕跡をのこしていますよ、ソームズさん」

「寝室に何の用があったのでしょう？」

「それは明らかですよ。思いがけない方面からあなたが帰ってきたので、ドアに手をかけるまで犯人は気がつかなかったのです。どうしたらよいでしょう？　自分の持ちものだけもって、寝室へ逃げこんで隠れたのです」

「へえ！　では私があっちでバニスターを呼んで、論議しているあいだ、ずっとここに隠れているのを、知らずにいたのだとおっしゃるのですか？」

「そう思います」

「それに代る説明もあると思いますが、どうでしょう？　あなたは寝室の窓はご覧にならなかったようですね」

「見ましたよ。鉛枠《なまりわく》の格子窓が三つあって、その中の一つは蝶番《ちょうつがい》であくようになっており、人が出られる大きさです」

「その通りです。しかもそれが中庭を廻《まわ》ったところに向いていますから、外からも見にくいわけです。犯人はそこから入ってきたので、寝室に跡をのこしたうえ、ドアがあいていたので、そっちから逃げたのかもしれません」

「もっと実際に即した考えかたをしましょう」ホームズはじれったそうに頭をふって、「あなたの部屋のまえを通って、この階段を上下する学生が三人あるというお話でしたね？」

「申しました」

「三人ともこの試験をうけるのですか？」

「そうです」

「その中に、とくに疑わしいとお考えになる人物がありますか？」

ソームズ君はちょっとためらった。「それはむずかしいご質問です。証拠もないのに、うかつに疑いはかけられませんからね」

「疑わしい点があれば話してください。証拠のほうは私が集めます」

「ではこの上にいる三人の学生の性格を、ごく簡単に申しあげましょう。二階にいるのはギルクリストと申しまして、学科もよくできるスポーツマンですが、ラグビーとクリケットではこの学校の選手で、ハードルと幅跳《はばと》びでは大学から対校試合の選手に指名されています。頭もよいし男らしい青年です。父親は競馬で破産したので有名なサー・ジェイベズ・ギルクリストですから、物質的にはずいぶん苦しいようですが、勤勉で努力家ですから、きっと成功すると思います。

三階にいるのはインドの学生ダウラット・ラスです。多くのインド人学生がそうですが、これはもの静かで謎のような人物です。学科はよくできるほうですけれど、ギリシャ語だけは苦手のようです。でもまじめに、規則ただしくやっています。最上階にいるのはマイルズ・マックラレンで、これは本人さえその気になれば、よくできますし、大学でも指折りの秀才なのですが、気まぐれで自堕落《じだらく》で不品行です。一年のときカードの不正事件で放校されかけました。この学期はずっと怠《なま》けてばかりいましたから、こんどの試験には不安をいだいているのに違《ちが》いありません」

「ではこの学生が疑わしいとおっしゃるのですね？」

「さあ、そこまでいい切るのはどうでしょうか。しかし三人のうちではこの学生がいちばん油断ができないと思います」

「でしょうね。ところでソームズさん、こんどはバニスターに会ってみようじゃありませんか」

　バニスターは小柄《こがら》で、髭《ひげ》のない顔は青白く、白髪《しらが》まじりの五十くらいの男だった。平和な一日を突発《とっぱつ》事故でかき乱された不安と興奮がまだおさまらないらしく、太った顔を神経質にぴくぴくさせ、手さきもたえず細かにふるえていた。

「私たちは例のいやな問題を調べているところなんだよ、バニスター」ソームズ君がいった。

「は、はい」

「きみが鍵《かぎ》をさしこみっぱなしにしたんだってね？」ホームズがいった。

「は、はい」

「大切な書類のあるきょうにかぎって忘れるなんて、きみもよっぽどどうかしている
ね？」

「まことに生憎《あいにく》なものでございました。でも忘れましたのはこんどが初めてではござ
いませんので」

「いつここへ入ってきたの？」

「四時半ごろでございます。その時刻にいつもお茶をさしあげますので」

「ながくこの部屋にいたの？」

「お留守とわかりましたので、すぐに退《さが》りました」

「そのときテーブルの上に書類のあるのを見ましたか？」

「いいえ、まったく気がつきませんでした」

「どうしてまた、鍵のような大切なものを忘れたのだろう？」

「片手にお盆《ぼん》をもっておりましたので、あとで取りにくるつもりでお盆をさきにさげ

まして、そのまま忘れてしまいましたので」

「外のドアは、閉めれば自然に鍵のかかるスプリング錠《じょう》になっていますか？」

「いいえ」

「じゃドアはずっと開いていたわけだね？」

「はい」

「部屋の中に誰《だれ》かいたとすれば、自然に出られたわけだね？」

「はい」

「ソームズさんが帰ってきて、呼ばれたときときみは、ひどく慌てたというね？」

「はい。なが年こちらで働いておりますけれども、こんなことはついぞ一度もございませんでした。私は気が遠くなりかけました」

「そうだってね。気が遠くなりかけたとき、きみはどこにいました？」

「おりました場所でございますか？　それはその、こちらの入口にちかいところにおりました」

「それは妙《みょう》だね。きみは窓にちかいあの隅《すみ》の椅子《いす》に腰《こし》をおろしたというではないか。入口からあの椅子までゆく途中《とちゅう》の椅子は、なぜ避《さ》けたのだね？」

「わかりませんです。私といたしましてはどの椅子でもよろしかったので」

「バニスターはよくおぼえていないんだと思いますよ、ホームズさん。まっ青な顔をして、ひどく気分が悪そうでした」

「ソームズさんが出ていらしたのに、きみはここに残っていたそうだね？」

「一分か二分だけでございます。すぐに鍵をかけて自分の部屋へさがりました」

「きみがいちばん怪《あや》しいと思う人は？」

「とんでもございません。こんなことをしてまで自分の利益をはかるかたは、この大学には一人もいらっしゃらないと存じます。かたくそう信じております」

「ご苦労でした。もうよろしい。いや、もう一つだけ訊《き》くが、きみが世話をしている三人の学生に、まちがいのあったことを話しはしないね？」

「はい、どなたにも申しはいたしません」

「あれから誰とも会ってはいないわけだね？」

「はい」

「よろしい。じゃソームズさん、中庭へ出てみましょうか」

中庭へ出てみると、夕闇《ゆうやみ》のこくなってゆく中に、窓が三つ、電灯の光をうけて黄いろく見あげられた。

「三羽の小鳥たちはおとなしく巣《す》の中にいるようですね」ホームズはふり仰《あお》いで、

「おや、どうしたのかな？　一人は妙にそわそわしていますよ」

ホームズの注意をひいたのは、三階のインド人学生だった。くろいシルエットが、ブラインドにひょいと現われたのである。せかせかと部屋の中を歩きまわっているらしい。

「三人の部屋をのぞいてみたいと思いますが、かまいませんか？」

「おやすいご用です。この建物は学校中でもおそらく最古ですので、よく参観者があります。いらしてください、私がご案内いたします」

「私の名をいわないでくださいよ」二階のギルクリストの部屋をノックするソームズ君に、ホームズが頼《たの》んだ。ドアをあけて姿をあらわしたのは背がたかく、すらりと細くて頭髪《とうはつ》が亜麻《あま》いろの青年だった。部屋を見せてほしいのだというと、よろこんで中へ招じいれた。内部は中世の住宅建築として、たしかに珍《めず》らしさがあった。ホームズはその細部にひどく心をひかれ、手帳をだしてむりに写生をはじめたが、鉛筆《えんぴつ》の芯《しん》が折れたからといって学生の鉛筆を借りて使い、はては学生からナイフを借りうけて自分の鉛筆をけずった。

おなじことが不思議にも、三階のインド人学生の部屋でもおこった。これは小柄で鉤鼻《かぎばな》のおだやかな青年だったが、苦りきって横目で私たちを見ており、ホームズの建薬学研究が終ったときは、しんから嬉《うれ》しそうだった。こうしてホームズは求める手掛《てがか》りをこの二人の部屋で手にいれたかどうか、私には何ともわからなかった。

四階の訪問だけは失敗だった。ノックしてもドアをあけようとはせず、はては口ぎたなく内部からののしりちらす始末で、何の得るところもなかった。「誰だろうとまっぴらだ！　勝手に地獄《じごく》へでもおちてゆけ！　あしたは試験だ！　誰がきたって、ひっぱり出されやしないぞ！」ぷりぷり怒《おこ》っている。

「無礼なやつです」すごすご階段をおりながら、ソームズ君はまっ赤になって怒った。「むろんノックしたのが私だとは知らなかったのでしょうが、それにしてもあまりにも不作法です。あの様子では、あの男が大いに怪しいですな」

しかしホームズの反応は意外だった。

「あの学生の正確な身長がおわかりですか？」

「さあ、正確にとおっしゃると困りましたね。インド人学生よりはたしかに高いですが、ギルクリストほどじゃありません。五フィート六インチというところでしょうか」

「その点がきわめて重要なのでね。じゃソームズさん、これでお別れします」

「これは驚《おどろ》いた！」ソームズ君はおどろき慌《あわ》てた。「それじゃあんまり出抜《だしぬ》けじゃありませんか！　あなたには事情がよくおわかりにならないのです。試験はあすですから、私としては今晩のうちに明確な処置をとらなければなりません。問題が一つでも漏《も》れているとすれば、このまま試験を実施するわけにはいきません。この難局を何とか打開しなければ……」

「このままそっとしておくのですね。明朝はやくお寄りしますから、よくお話ししましょう。そのときはどうなさいと申しあげられるかもしれません。それまでは何も変《へん》更《こう》しないのですね。知らん顔をしているのです」

「わかりました。そうしましょう」

「少しもくよくよすることはありませんよ。こんな問題は確実に必ず解決できます。あの土のかたまりと鉛筆の削《けず》りくずはお預りしておきますよ。じゃさようなら」

ふたたびまっ暗な中庭へ出ると、私たちは窓を見あげた。インド人学生はまだ歩きまわっていたが、ほかの二人の影《かげ》は見えなかった。

「どうだい、ワトスン君、これをどう思うかい？」ホームズが町の表通りへ出たとき言葉をかけた。「客間のゲームかカードの手品みたいなもんだよ。犯人はあの三人のうちにいる。君なら誰を指名する？」

「四階の口ぎたないやつだろう。過去の素行もいちばん悪いじゃないか。もっともあのインド人も食えないやつだね。何だってあんなに部屋の中を歩きまわるんだろう？」

「それは何でもないさ。何か暗記するのに、あんなふうに歩きまわる男はたくさんあるよ」

「僕《ぼく》たちを見る眼《め》つきが変だったよ」

「あすの試験にそなえて一分をおしんで準備しているところへ、見も知らぬ人にどやどや押《お》しかけられたら、君だって平静ではいられないだろう。あれは何でもありやしないよ。それに鉛筆もナイフも、すべて満足すべき状態だった。それよりも、気になるのはあいつのほうだよ」

「あいつとは？」

「バニスターさ、召使《めしつか》いの。あいつはこの問題にどんな利害があるのかな？」

「とても正直そうな人間だと思ったがな」

「僕もそう見た。だから困るんだ。まっ正直な人間が何だって……やあ、ここに大きな文房具屋《ぶんぼうぐ》があった。ここからまず調査をはじめよう」

この町には大小を問わず文房具屋は四軒《けん》しかなかった。ホームズはそれを片っぱしから廻って、鉛筆の削りくずを見せ、同じものがあったら高く買いたいといった。どの店でもご注文なら取りよせるけれども、これは大きさが普通《ふつう》でないので、どこでもあんまり店にはおいてないのだといった。でもホームズはさほど失望した様子もなく、半ばおどけたように首をすくめて諦《あきら》めた。

「だめだったよ、ワトスン君。こいつが最上にして最後の手掛りなんだが、役にたたなかった。でもこんなものはなくても、大丈夫《だいじょうぶ》解決できる自信があるよ。おや、もう九時だ。おかみは七時半にはグリンピースを煮ておくとか何とかいっていたようだった。君みたいに年中煙草《たばこ》ばかり吹《ふ》かすし、食事時間が不規則だと、いまに追いたてを食うぜ。そうなりゃ僕までおつきあいさせられることになる。しかしそれまでには、びくびくしている指導教師や軽率《けいそつ》な下男や前途のある三人の学生の問題を解決しなきゃならないよ」

その日ホームズは事件のことは二度と口にしなかった。おそい夕飯をすますと、ながいこと坐《すわ》りこんで、黙想《もくそう》にふけっていた。翌朝八時に、やっと朝の洗面をすませたばかりの私の部屋に入ってきた。

「ワトスン君、もうセント・リューク大学へ行かなきゃならない時刻だが、食事は帰ってからでいいだろうね？」

ろう」

「何とかはっきりしたことを言ってやらないと、ソームズ先生気をもんでいることだろう」

「はっきりしたことが言えるのかい？」

「いえるつもりだ」

「じゃ結論を得たのかい？」

「うん、事件は解決した」

「それにしては、何か新しい証拠《しょうこ》でも手にいれたのかい？」

「はっはっ！　がらにもなく六時なんかに起きたのは、伊達《だて》や気まぐれじゃないさ。これ二時間もかかって、汗《あせ》をかいて少くとも五マイルは、何物かを求め歩いたんだ。これを見てくれたまえ」

といって彼《かれ》は片手をひろげてみせた。手のひらにはピラミッド型の小さな土のかたまりが三つのっていた。

「おや、きのうは二つだけだったのに！」

「あとの一つはけさ手にいれたのさ。こいつの出所がほかの二つと同じだとする推論は、正しいだろう？　え、ワトスン君。さ、来たまえ。ソームズ君の心痛をしずめてやろう」

　行ってみると小心な指導教師は、可哀《かわい》そうなほど心配していた。試験の開始は数時間のうちに迫《せま》っているのにまだ、事件を公表して試験を延期すべきか、それともこのまま施行して、多額の奨学資金《しょうがくしきん》を悪いやつが取るのを見のがしたものかのジレンマに悩《なや》んでいるのである。あまりにも大きな心の悩みに、ちゃんと立ってさえいられないらしく、私たちが入ってゆくとホームズめがけて両手をひろげてかけよった。

「よくお出《い》でくださいました！　あなたは諦めておしまいになったのかと思っていましたよ。私はどうしたらよろしいでしょう？　試験はやってよろしいでしょうか？」

「ぜひおやりになるんですな」

「でも不心得ものが……」

「彼は受験しませんよ」

「じゃ誰だかおわかりなのですか？」

「まあね。事件を公《おおやけ》にしたくないとすれば、私たちがある権限をもつ必要があります。そして一種の小さい私設軍法会議をひらくのです。ソームズさんはそこへ、ワトスン君はこちらへ、私は中央のこの肘掛椅子《ひじかけいす》に坐ります。これなら悪いことをした奴《やつ》をふるえあがらせるだけの威圧力《いあつりょく》はあるでしょう。ではソームズさん、ベルを鳴らしてください」

すぐにバニスターが入ってきたが、厳然たる私たちの態度を見て、おどろきと怖《おそ》れの色を見せてたじろいだ。

「そのドアを閉めてもらいたい」ホームズがすかさず声をかけた。「ところでバニスターさん、きのうのことを正直に申したててほしいね」

バニスターはさっと髪《かみ》の根元まで青ざめた。

「昨日すっかり申しあげましたとおりなんで」

「何かつけ加えることは?」

「ございませんです」

「ふむ、では私からすこしヒントをあたえねばなるまい。きのうきみがいきなりあの椅子へ腰をおろしたのは、そこにあったものを見られると、誰がこの部屋へ入ったかわかるから、それを隠《かく》すためではなかったのかい?」

「いいえ滅相《めっそう》もございません」バニスターはいよいよ死人のように青くなった。

「これはあくまで一つの思いつきとして言ったまでなのだ」ホームズはおだやかに諭《さと》した。「はっきりいうが、いま私にはそれを立証する力はない。しかしどうやらそれらしく考えられるというのは、ソームズさんの姿が見えなくなるやいなや、きみはあの寝室《しんしつ》にかくれていた男を逃《に》がしてやったからだ」

バニスターは乾《かわ》いた唇《くちびる》をしめして、「誰もおりはいたしませんでした」

「ふむ、残念だね。いままでのところ、きみは正直に話していたのだろうが、いまの一言でうそつきになったと思うよ」

「ほんとに誰もおりませんでした」バニスターはムッと不機嫌《ふきげん》な顔で反抗《はんこう》的にいった。

「まだそんなことをいう！」

「いいえ、ほんとに誰もおりませんでした」

「それではいくら訊《たず》ねてもむだだから、もう止《よ》すが、しばらくここにいてほしいね。そこの寝室のドアのそばに立っていてもらいたい。ところでソームズさん、たいへん恐縮《きょうしゅく》ですがギルクリスト君をちょっと呼んできていただけませんか？」

指導教師はすぐに学生のギルクリストをつれて戻《もど》ってきた。明るく朗《ほが》らかな顔つきの背のたかい青年で、柔軟《じゅうなん》なからだでスプリングのきいた歩きかたをした。青い眼で不安そうに私たちを見くらべ、向うの隅《すみ》にバニスターが立っているのに気がつくと、色を失った。

「ちょっとそのドアを閉めてください」ホームズがあらたまって、「ところでギルクリストさん、ここは私たち少数のものがいるだけで、どんなことを話しても、外へ漏れる心配はありません。ですから安心して打ちあけた話ができるわけです。そこで私どもが知りたいのは、あなたのような立派なかたが、なぜ昨日のようなあやまちを犯《おか》したかという問題です」

問いつめられて青年はたじろぎ、嫌悪《けんお》のいろをこめてバニスターを睨《にら》みつけた。

「ちがいます、ギルクリストさま、私はなんにも申しはいたしません。一言だって……」

「そのとおりだ。しかしいまの言葉でそれは帳けしになったね。ギルクリストさん、お聞きのとおりですから、あなたの立場はなくなりました。このうえはいっさいを正直に告白して、了解《りょうかい》を求めるしかありますまい」

ギルクリストは誓約でもするように片手をあげて、苦しげに捩《ね》じまげられた顔をしずめようとしばらく努力する様子だったが、とつぜん、テーブルのそばにがっくりと膝《ひざ》をついて、両手に顔をうずめ、はげしくむせび泣きだした。

「さあ、きみ」ホームズはやさしくいった。「人間はあやまちを犯しがちなものです。少くとも、あなたのことを心からの悪人と思うものはないのです。あなたとしても、こうだったと詳《くわ》しくは話しにくいでしょうから、私から当時の状況《じょうきょう》をソームズ先生に説明しましょう。私のまちがっているところだけ訂正《ていせい》してください。いいですね？いやいや、返事もむりにするには及《およ》びません。黙《だま》って聞いていてください、きみを不公平に責めていないつもりです。

ソームズさん、この部屋に問題の校正刷りがあることは、バニスターですら知るはずがなかったというあなたの話を聞いたときから、私の頭の中には一つの解答が明確な映像をむすびはじめました。まず第一に印刷屋は除外してよいでしょう。見たければいつでも見られるのですから、ここへ忍《しの》びこむ必要はありません。つぎにインド人学生も除外してよいと思いました。何か訊ねに入ってきたとしても、校正刷りは巻いてあったという話ですから、何だかわからなかったでしょう。一方また、誰かがこの部屋へ忍びこんでみたら、偶然《ぐうぜん》にもその日に校正刷りがあったと考えるのも、あんまり偶然がすぎます。これはやっぱり、試験用紙があると知って、入ってきたと考えるべきでしょう。ではどうして知ったでしょうか？

昨晩こちらへ初めて伺《うかが》ったとき、私はまず窓の外をあらためました。まっ昼間、向うがわの建物からむきだしに見られるなかで、誰かが窓から入りこんだのではないかと、私が調べているかとあなたは思われたようですが、むろんそんなばかなことを私が考えるわけはありません。中庭を通りかかって窓ごしに、中央のテーブルの上に何がのっているか見えるためには、どのくらい背がたかくなければならないか、それを測定したのですよ。私は六フィートありますが、ちょっと背のびしなければ見えません。だから六フィート以下のものには、その機会はまずなかったものと考えられます。ですから、あなたの指導している三人の学生のうちとくに背のたかい人があれば、いちばんに眼をつける理由があるわけです。

この部屋へ入ってきて、まず小さいテーブルの暗示するものについては、あなたにも打ちあけたとおり一応はわかりましたが、中央のテーブルにあった痕跡《こんせき》については、まったくわからなかったのです。でもあなたから、ギルクリスト君が幅跳《はばと》び選手だと聞いて、何もかも一時に明らかになりました。あとは裏づけ証拠を必要とするだけですが、それも早急に手に入れました。

当時の状況を簡単に申すとこうです。この学生はその午後、運動場に出て、幅跳びの練習をしましたが、練習が終るとスパイク・シューズをぶらさげて帰ってきました。そしてこの窓の下を通るとき、背がたかいので、テーブルの上に校正刷りがおいてあるのに眼をとめ、さてはと臆測《おくそく》をくだしました。ドアの前を通りかかったとき、ここでバニスターの不注意から鍵《かぎ》がさしこんだままになっているのに彼が気づかなかったら、何もおこりはしなかったでしょう。とつぜん彼は部屋に入って、それがほんとうに試験問題の校正刷りなのか、ひとつたしかめてやろうという野心をむらむらと起しました。この部屋へ入ることは、何か質問があってきたと弁解すればよいのですから、見とがめられても必ずしも危険はありません。

見るとはたして試験問題でしたが、ここで彼はついに誘惑《ゆうわく》にまけたのです。そこでまずスパイク・シューズをテーブルの上におきました。そして窓のそばの椅子の上には——何をおいたのですか？」

「手袋《てぶくろ》です」青年が答えた。

ホームズはそれ見ろという眼でバニスターを見やった。「手袋を椅子の上において、校正刷りを一枚ずつとって写しにかかりました。先生は表から帰ってくるものと思いこんで、それなら窓ごしに遠くから見えるからと安心していたのですが、意外にも横門から帰ってきた。ドアの音ではじめて気がついた始末、逃げ路《みち》はありません。そこで、手袋は忘れたが、スパイク・シューズをつかんで、寝室へ逃げこんだのです。そのときできたテーブルの上の搔《か》ききずは、一方が浅くて、寝室のほうへゆくほど深くなっています。それだけで、靴《くつ》をそのほうへ引きずったことがわかるし、犯人が寝室へかくれたことを物語っています。スパイクのまわりについていた土が、かたまりのままテーブルのうえに一つと、寝室にも一つ落ちていました。

ついでに申しますと私はけさ運動場へいってみましたが、幅跳びのピットには粘土《ねんど》質《しつ》のくろい土がいれてあって、滑《すべ》りどめの鋸屑《おがくず》がまいてありましたから、いったんスパイクのまわりについて取れた同じようなかたまりを一つ、見本にもって帰りました。どうです、私のいったことにどこか違《ちが》うところがありましたか、ギルクリストさん？」

「すべて事実のままです」学生はしゃんと起きあがった。

「なんということだ。一言の弁解もないのかね？」ソームズ君があきれた。

「いえ、それはあります、先生。でもこんな恥《は》ずべき行為《こうい》を摘発《てきはつ》されたショックで、私は混乱しています。ソームズ先生、私はここに手紙を一通もっていますが、これは自責でまんじりともせずに、明けがたになって先生にあてて書いたものです。ですからこれは、私の悪事が発覚したとは知らずに書いたわけです。お聞きください、私はこう書きました。――『私はこんどの試験はうけないことにきめました。と申しますのはかねてローデシアの警察から就職を依頼《いらい》されていますので、すぐ南アフリカへむけて出発することに決意したからです』」

「きみが不正な手段によって自己一身の利益をはかる意図がないと聞いて、私はほんとに嬉《うれ》しい。しかしどうしてそう急に前途《ぜんと》の方針をかえたのかね？」ソームズ君がきいた。

「私を正道にたちかえらせてくれたのはあの男です」ギルクリストはバニスターをさした。

「どうだね、バニスターさん」ホームズがいった。「この青年を逃がしてやれたのはきみ以外にないということは、さっき私が話したことからも明らかだ。ソームズさんが急いで出ていってもきみはこの部屋にいのこって、しかもここを出るときは扉《とびら》に外からちゃんと鍵をかけたのだろうからね。部屋の窓から逃げたとは、とても考えられないのだ。どうだろう、きみはなぜこんな出かたをしたのか、その理由を話して、この事件の最後の謎《なぞ》を明らかにしてはもらえまいか？」

「おわかりになってしまえば、ごく簡単なことでございます。でもあなたさまがいかにお頭《つむ》がよくても、こればっかりはおわかりでございますまい。私はもとこのお方の父上サー・ジェイベズ・ギルクリストさまの執事《しつじ》をつとめておりました。准男爵《じゅんだんしゃく》さまが破産されてから、私はこちらの学校の用務員にはなっておりますが、あのお方のご恩は決して忘れておりません。そのご恩がえしにと、ご子息さまのお世話にはできますかぎり心をくばって参りました。昨日こちらへ呼ばれまして、何かまちがいがあったと伺いましたとき、いちばんに眼につきましたのが、そちらの椅子の上のギルクリストさまの茶いろの手袋でございます。手袋には見おぼえもございますし、私には何もかもわかってしまいました。

ソームズ先生に手袋を見られますと、万事休《ばんじきゅう》すでございますから、いきなり私はその上に坐りこんでしまいまして、ソームズ先生があなたさまのところへいらっしゃるまで、そこを動きませんでした。それからギルクリストさまが寝室から出ていらっしゃいましたから、私はこの膝に抱《だ》きよせておなぐさめしますと、すっかり告白なさいました。私といたしましては、ご子息をお助けいたすのが当然ではございますまいか？　そしてまた、亡《な》くなられましたお父上に代りましてお諭《さと》しいたしたり、こんな曲ったことで得のいくものでは決してないのを、こんこんと申しあげましたのは当然ではございますまいか？　それでもあなたさまは私をお責めになるのでしょうか」

「いや、決して責めたりはしないよ！」ホームズは立ち上りながら心からいった。

「じゃソームズさん、これでこの事件は解決したようです。朝飯《あさはん》が私たちの帰りを待っているはずですから、じゃワトスン君、帰ろう。それから最後にギルクリスト君、ローデシアでの輝《かが》やかしい未来を期待しますよ。きみはいちどだけ過《あやま》ちを犯した。きみが将来どんな成功をおさめるか、私たちは楽しみに見守っているよ」

――一九〇四年六月『ストランド』誌発表――

# スリー・クォーターの失踪《しっそう》

私たちはベーカー街へ奇妙《きみょう》な電報をうけとるのには、なれっこになっていたが、七、八年まえの二月のあるうっとうしい朝とどいて、シャーロック・ホームズをものの十五分も考えこませた電報については、特別の思い出がある。それはホームズあてで、つぎのような電文だった。

「ゴ在宅ネガウ　オソルベキ不祥事《フショウジ》デキタ　明日ノ試合ニ欠カサレヌ　スリー・クォーターガ失踪シタ」オヴァートン

「消印はストランド局で、十時三十六分の発信だ」ホームズは何度もよみかえしてみて、「オヴァートンという男よほど慌《あわ》てたとみえて、電文の筋道がとおっていない。まあいいや、タイムズを読んでしまうころにはやってくるだろうから、くれば何もかもわかるというものだ。ちかごろのように不漁つづきじゃ、どんなにつまらない小事件でも歓迎《かんげい》する気になるね」

ちかごろ私たちはすっかり退屈《たいくつ》しきっていた。ホームズは異常に頭脳が活動的な男で、しばらくでも考える材料のないままにしておくのは、危険であるのを経験上知っていたから、私はこの無為《むい》の期間というやつがはなはだ怖《おそ》ろしいのである。その輝《かが》やかしい経歴をいちどはおびやかしかけた麻薬嗜好《まやくしこう》の悪癖《あくへき》を、私は何年もかかって徐々《じょじょ》に捨てさせた。いまでは普通《ふつう》の状態では、もはや彼《かれ》もこの人為の刺戟《しげき》を求めようとはしなくなったが、それでも根治したわけではなく、邪念《じゃねん》が休眠《きゅうみん》状態に入っているだけなのはよくわかっている。しかもこの眠《ねむ》りたるやごく浅く、こうした退屈な時期にホームズが苦行僧《くぎょうそう》めいた顔をしかめ、落ちくぼんだ測りがたい両眼をくもらせているのを見ると、眼《め》をさますのも近いかとひやひやさせられるのである。だから私は、オヴァートンとは何者だか知らないけれど、なにか問題をもってくるのだというから、ありがたいと思った。とにかくそれによって、どんなに波瀾万丈《はらんばんじょう》の嵐《あらし》にもまして彼にとって危険な現在の静寂《せいじゃく》を、破ることだけはできるのだ。

予想どおり、電報がきてからまもなく、その発信人が訪ねてきた。ケンブリッジ大学トリニティ・カレッジ、シリル・オヴァートンという名刺《めいし》がとりつがれたあとから、おそろしく体格のよい青年が入ってきた。体重は二百二十ポンドもあろうか、戸口もふさぐばかり肩幅《かたはば》ひろく、端正《たんせい》だが心配のために憔悴《しょうすい》した顔で、私たちを見くらべた。

「シャーロック・ホームズさんは……」

ホームズがかるく頭をさげてみせた。

「僕《ぼく》はいま警視庁へいってきたところです。スタンリー・ホプキンズ警部にあいましたら、この問題は警察よりも、むしろホームズさんの領分だから、こちらへ伺《うかが》ってお願いするようにいわれたものですから……」

「まあお掛《か》けなさい。いったいどうしたのですか？」

「怖ろしいことです。ただ怖ろしいのです。僕は髪《かみ》がまっ白にならないのが不思議なくらいです。ゴドフリー・ストーントン――むろんご存じでしょうね？　チームぜんたいが頼《たの》みにしている要《かなめ》なんです。僕のチームじゃゴドフリーさえスリー・クォーターにいてくれたら、あとは二人くらい抜《ぬ》けたって大丈夫《だいじょうぶ》だとさえ思っているんです。パスでもタックルでもドリブルでも、かなうものはないし、それに頭がいいから、チームをしっかりまとめてくれるんです。僕はどうしたらいいでしょう？　それを伺いにきたんです。そりゃ第一補欠のムアハウスがいますけれど、これはハーフとして練習してきたんですし、スクラムにくっついてて、飛びこんでゆくのは得意ですけれど、タッチ・ラインに沿ってはなれて動けというのは無理なんです。それにプレース・キックはあざやかだけれど、スプリントがさっぱり利《き》きませんからねえ。モートンだのジョンソンだの、オックスフォードの駿足《しゅんそく》にかかったら子供あつかいですよ、きっと。スティーヴンソンなら脚《あし》だけは早いけれど、判断はわるいし、二十五ヤード・ラインからのドロップ・キックができないときているんです。パントなりドロップ・キックなりのできないスリー・クォーターなんて、およそ意味ないですよ。まったくのところ、あなたにゴドフリー・ストーントンを探しだしていただかないことにゃ、僕たちもう駄目《だめ》なんです」

ホームズはびっくりして、しかし面白《おもしろ》そうにこの長い演説をきいていた。すばらしく元気で、要所へくると逞《たく》ましい手で膝《ひざ》をうって言葉をつよめながらの、とても熱心な話しぶりである。演説がすむとホームズは片手をのばして、備忘録《びぼうろく》のS《エス》の部をとりおろし、いろんな事項《じこう》を書きこんである宝庫をさがしてみたが、ついに得るところはなかった。

「アーサー・H・ストーントンというのは隆々《りゅうりゅう》たる若手の偽造者《ぎぞうしゃ》だし、ヘンリー・ストーントンは私が一役買って絞首台《こうしゅだい》へのぼった男だし、ゴドフリー・ストーントンというのは聞いたことがありませんねえ」

こんどはお客のほうがびっくりした。

「へえ！　あなたは何でもご存じだと思っていましたがねえ。じゃ何ですか、ゴドフリー・ストーントンの名を聞いたことがないとしたら、シリル・オヴァートンもご存じじゃないでしょうね？」

ホームズはにこにこしながら頭を振《ふ》った。運動選手はびっくりして大声でいった。

「おどろきましたねえ！　私はウェールズとの対抗試合に第一補欠で出たんですよ。それにこの一年大学チームの主将をつとめてきました。ま、そんなことはどうでも、ゴドフリー・ストーントンの名を知らない人がこの国に一人でもいようとは夢《ゆめ》にも思いませんでしたよ。ケンブリッジだけじゃなく、ブラックヒースや国際試合に五回も出た精鋭《せいえい》の名スリー・クォーターなんですからねえ。おどろいたなあ！　ホームズさんはこれまでどこに住んでいらしたのですか？」

ホームズはこの若い巨漢《きょかん》の無邪気《むじゃき》さに笑いだしながら、「あなたは私なんかとはまったく別の、苦労のない健全な世界に住んでいるのです。私は社会のいろんな方面に手をのばしてきましたが、幸いにしてアマチュア・スポーツの世界だけは知りませんでした。この国でもっとも健全、もっとも満足すべき社会はアマチュア・スポーツ界です。しかし今朝とつぜんこうしてあなたが訪ねていらしたところをみると、このフェア・プレーの清らかな世界にも、私なんかの出動の余地があるとみえますね。まあ腰《こし》でもおろして、ゆっくりと、どんなことが起ったのか、落ちついて正確に話してください。いったい何をどう助けてほしいというのですか？」

若いオヴァートンは、頭脳よりも筋肉のほうを使いなれている人間らしく、困惑《こんわく》の表情をうかべたが、だんだんに、一つのことを何度も喋《しゃべ》ったり、意味のはっきりしない言葉があったりしたけれど、それらは適当に整理するとして、だいたい次のような奇怪《きかい》な話をくりひろげたのである。

「こういうわけなんです、ホームズさん。さっきも申しましたとおり、私はケンブリッジ大学のラグビー・チームの主将なんですが、ゴドフリー・ストーントンはチームのナンバーワンです。あすはオックスフォード大学との試合です。きのう僕たちはロンドンへやってきて、ベントリーという特約ホテルにおちつきました（訳注　両校のラグビー試合はロンドンのウエスト・ケンジントンのクイーンズ・クラブのグラウンドで行われる）。厳格な練習と十分な睡眠《すいみん》がチームの力をたもつうえに必要と信じていますから、僕は夜の十時に見まわって、みんなもう寝床《ねどこ》へもぐりこんでいるのを確かめました。ゴドフリーが寝るまえに、僕はちょっと話をしましたが、ひどく顔いろが悪くて、心配そうな顔をしていますから、どうしたのかと訊《き》くと、なに大したことはない、すこし頭痛がするだけだといいます。僕はおやすみをいって、すぐ引きあげてきましたが、三十分ばかりするとボーイがやってきて、頬《ほお》ひげのある荒《あら》っぽそうな男がゴドフリーに手紙をもってきたと知らせてくれました。ゴドフリーはまだ寝ていなかったので、手紙はすぐ部屋へ届けましたが、彼はそれを読むと、まるで斧《おの》で頭を殴《なぐ》られでもしたように、椅子《いす》に尻《しり》もちをついたそうです。ボーイはびっくりして、僕を呼んでくるというと、ゴドフリーはそれを押《お》しとめて、水を一杯《ぱい》のんだだけでどうやら気を落ちつけたそうです。それから階下へ降りて、ホールで待っていた使いの男となにか話しあってから、いっしょに出ていったということです。そして、走るようにしてストランドの方角へ姿を消したといいます。

けさみるとゴドフリーの部屋はからっぽで、ベッドは寝た形跡《けいせき》がなく、そこらの物はまえの晩に僕が見たときのままでした。つまり見知らぬ男とさっさと出かけて、それっきり消息がわからないのです。これっきり永久に帰ってきそうもありません。ゴドフリーは骨のずいまでスポーツマンですから、練習をやめたり、主将を困らすようなことをするからには、自分の力では何ともならないような、よくよくの理由があると思うんです。だからこれは永久に帰ってはこない、これっきり会えないような気がしてなりません」

シャーロック・ホームズはこの奇妙な話をとても注意ぶかく聞いていた。

「それで君はどうしました？」

「ケンブリッジ大学へ電報して、あちらで何かわかっていないか問いあわせました。返事はきましたが、誰《だれ》も彼を見たものはないそうです」

「ケンブリッジへ帰るつもりなら帰れたわけですか？」

「ええ、おそい列車があります、十一時十五分というのが」

「しかし君の調べたかぎりでは、それには乗っていないのですね？」

「だれも乗るところを見たものがありません」

「それで君はどうしました？」

「マウント・ジェームズ卿《きょう》に電報しました」

「なぜマウント・ジェームズ卿なのですか？」

「ゴドフリーには両親がありません。マウント・ジェームズ卿はいちばん近い親類なんです。たしか伯父《おじ》さんです」

「ふむ、すこしわかってきました。マウント・ジェームズ卿はわが国でも有数のお金持です」

「ゴドフリーもそんなことをいっていました」

「その人とゴドフリー君とは密接な関係があるわけなんですね？」

「ゴドフリーは卿の相続人なんです。しかもこのご老体は八十に近いし、おまけにひどい痛風ときています。なんでも指の関節で撞球《どうきゅう》のキューにチョークがつけられるんだとか悪口いう奴《やつ》がありますが、なにしろとてもひどいけちんぼうですから、今までにただの一シリングだってゴドフリーにくれたことがないそうです。でも死ねば全財産がどうせゴドフリーのものになるんです」

「卿から返事がありましたか？」

「いいえ」

「マウント・ジェームズ卿のところへ行きそうな理由でもあるのですか？」

「そりゃまえの晩の心配そうな様子から、もしそれが金に関する問題なら、いちばん近い親類で、しかもお金はいくらでもある伯父さんのところへ行くこともあるかと思ったのですが、ふだん聞いてる話から考えて、まあ見こみはありませんね。第一ゴドフリーは卿を嫌《きら》っていたし、行かずにすむなら行かないだろうと思います」

「行ったか行かないかは、すぐわかるでしょう。それにしてもゴドフリー君がマウント・ジェームズ卿のところへ行ったとすれば、そんなに夜おそくホテルへ訪ねてきたという荒っぽい顔つきの男は何者だったのか、またそれによってゴドフリー君はなぜそんなに驚《おどろ》いたのか、それを説明しなければなりませんね」

シリル・オヴァートンは両手を顔に押しあてて、「僕にはさっぱりわかりません」

「ふむ、私もきょうは手がすいているから、喜んで調べてあげましょう。それにしてもあなたとしては、ゴドフリー君にはかまわず試合の準備だけは進められるように、つよく勧告したいですね。あなたもいうように、ゴドフリー君がそんなふうに姿をかくしたのは、よくよく止《や》むを得ない事情があったのでしょう。おなじ事情のため、帰ってこられないかもしれませんからね。ではそのホテルへいっしょに行ってみましょう。ボーイが、なにか新しい光明を与《あた》えてくれるかもしれません」

シャーロック・ホームズは身分の低い証人に楽な気持で口を開かせる老練な手腕《しゅわん》をもっていた。ゴドフリー・ストーントンがいなくなった部屋へボーイを呼びこんで、知っているだけのことをたちまち喋らせてしまった。前夜たずねてきた男は紳士《しんし》ふうではなかったけれど、そうかといって労働者でもないという。その男はボーイの言葉をそのまま使えば、「えたいの知れない奴」だった。五十くらいで頬ひげには白いものがまじり、青白い顔をして、服装《ふくそう》は地味だった。その男のほうも何だかそわそわと落ちつきがなくて、手紙をさしだすとき手がふるえていた。ゴドフリー・ストーントンとンは手紙をみるとポケットへ突《つ》っこんでしまった。ホールへ降りてきてその男に会っても、握手《あくしゅ》はしなかった。二人はほんの二言三言話しあっただけで、前述のような状《じょう》況《きょう》でそのまま出ていった。ボーイに聞きとれたのは「時間」という言葉だけ、ホールの時計がちょうど十時半をさしていた。

「はてな」とホームズはゴドフリーのベッドに腰をおろしながら、「君は昼間の係りなんだね？」

「はい、十一時までが受けもちなんで」

「夜のボーイは何も知らないのだろうね？」

「はい、芝居《しばい》がえりのおそいお客さまが一組ありましただけで、ほかにはどなたもいらっしゃいませんです」

「きのうは君は朝からずっと働いていたのですか？」

「はい」

「ストーントンさんあての手紙かなにか来なかったろうか？」

「電報が一本参りました」

「ほう、それは面白い。何時《なんじ》ごろですか？」

「六時ごろでございます」

「そのときストーントンさんはどこにいたね？」

「このお部屋で」

「ストーントンさんは君の眼のまえで電報を読んだの？」

「はい、返事でもお出しになるかと思って、お待ちいたしておりましたから」

「返事はあったの？」

「はい、お書きになりました」

「君がそれを打ったのですか？」

「いいえ、ご自分でお打ちになりました」

「でも、書くのは君の見ているまえで書いたのでしょう？」

「はい、戸口に控《ひか》えておりますと、あのテーブルで向うむきになってお書きになりました。できあがりますと、『いいんだよ、自分で打ってくるから』とおっしゃいました」

「なんで書いた？」

「ペンでございます」

「頼信紙《らいしんし》はテーブルの上にあるこの綴《つづ》りをつかったのかね？」

「はい」

ホームズは立って頼信紙の綴りをとりあげ、窓のそばへもっていって、表面をていねいに検《あら》ためた。

「鉛筆《えんぴつ》を使ってくれるとよかったがねえ」がっかりした様子で頼信紙をぽんと放《ほう》りだした。「ワトスン君はたびたび見て知っているだろうが、鉛筆なら下の紙に跡《あと》がつく。そのために幸福なはずの結婚《けっこん》が解消になった例も珍《めず》らしくはない。だがペンだから跡が残っていないよ、こいつにゃ。ただありがたいことに、先のふとい鵞《が》ペンを使っているから、この吸取紙には何か残っているに違《ちが》いない。ほうら、ね、やっぱりあるよ！」

彼は吸取紙を一枚やぶりとって、つぎのような何ともわけのわからぬものを私たちのほうへさし出してみせた。

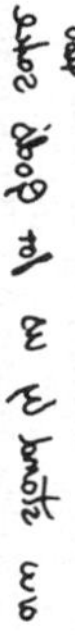

シリル・オヴァートンは狂喜《きょうき》して、「鏡にうつしてみるといいですよ」

「その必要はありません。この吸取紙はうすいから、裏まで滲《にじ》み出ていますよ、これこのとおり」ホームズは吸取紙をうらがえしてみせた。

aw stand by us for God's sake also

「ははあ、これがゴドフリー・ストーントンの失踪《しっそう》する数時間まえに打った電文の末尾の部分だな。すくなくともこの前に六語はあったものと思われる。ここに現われているStand by us for God's sake.（後生ダカラ僕タチヲ助ケネガウ）この文句でみると、ゴドフリーはおそるべき危険がせまったのを知り、誰かに頼めば助けてもらえるという事情にあったことがわかる。『僕タチ』とあるのは注意すべきだね。危険のせまったのはゴドフリー君だけではないのだ。これは神経質な青い顔をしていたという頬ひげのある男の事にちがいあるまい。ゴドフリーはこの男とどういう関係なのだろう？　そしてこの二人が降りかかってきた危険に助けを求めた第三者というのは何者だろう？　捜査《そうさ》の範囲《はんい》はここまで狭《せば》められてきたわけだ」

「電報のうけとり人さえわかればいいわけだね」と私はいった。

「そのとおりさ。ワトスン君の意見は、ふかく考えてのうえだろうが、僕もとっくに気はついているんだ。しかしねえ、君は考えたかどうかわからないが、電信局へいって他人の打った電報の控えを見せてくれと頼んでみても、おそらくおいそれと応じてはくれないだろう。こうしたことには、やかましい規則があるんだ。でも適当に技巧《ぎこう》を弄《ろう》すれば、目的は達せられると思う。それはそれとして、オヴァートンさん、テーブルの上の書類をちょっと調べたいと思うから、立ちあってくださいませんか」

テーブルの上には何通かの手紙、勘定書《かんじょうがき》、手帳などがおいてあった。ホームズは射るような鋭《するど》い眼《め》つきで、それらを手ぎわよく調べていった。「何もないようですね。それはそうとゴドフリー君はどこも悪くない、丈夫《じょうぶ》なからだだったのでしょうね？」

「この上なく健康な男でした」

「病気したことはありませんか？」

「一日だって寝たのを知りません。向《むこ》う脛《ずね》を蹴《け》られたときと、膝小僧《ひざこぞう》の皿《さら》を脱臼《だっきゅう》したときは別ですが、そんなのは大したことじゃありませんよ」

「ほんとうはそれほど強くはなかったのかもしれませんね。少なくとも何か人にいえない病気でもあったんじゃないかな。これからの調査に関係があるかもしれないから、この書きもののうち二、三お預りしてゆきますから、ご承諾《しょうだく》ねがいますよ」

「ちょっと、ちょっと待った！」思いがけなくも、怒《おこ》ったような声が聞えたので、見あげると、いつのまにやってきたのか、小柄《こがら》でおかしな老人が、戸口のところで体をひきつらせて立っていた。色あせた黒い服をきて、縁《ふち》のばかにひろいシルクハットをかぶり、白ネクタイをゆるくつけている。見たところひどく田舎《いなか》くさい牧師か、葬儀《そうぎ》屋のお雇《やと》い参列人といった風体《ふうてい》である。しかし、身形《みなり》がそんなに見すぼらしくおかしいにもかかわらず、声にはりんとした響《ひび》きがあり、態度にも張りがあって、人を威圧《いあつ》するものがあった。

「あんたは誰じゃな？　なんの権利があって、この部屋の書類に手をつけるのじゃ？」

「私は私立探偵《たんてい》でして、この部屋の青年の失踪問題を解明しようとしているところです」

「ほう、そんなことかね。して誰に頼《たの》まれなすったんじゃな？」

「ストーントン君の友人であるこの紳士が、警視庁の推薦《すいせん》で私に依頼《いらい》されたのです」

「君は？」

「シリル・オヴァートンです」

「ではわしに電報をよこしたのは君じゃったか。わしはマウント・ジェームズ卿じゃ。ベイズウォーターゆきの一番早い乗合馬車で、とんで来ましたがな。するときみが私立探偵をお頼みじゃったか？」

「はあ」

「費用のほうは、目算があるんじゃろうな？」

「それはむろんゴドフリーが、さがしだせば、何とかすると思います」

「見つからなんだらどうなさるんじゃ？　わしはそれが知りたい」

「見つからなければ、むろん彼《かれ》の家族で……」

「とんでもない！」小柄な老人は叫《さけ》んだ。「わしをあてにしてくれちゃ困る。わしは一ペニーでも出しはせんぞ！　おわかりじゃな、探偵さん？　あれの親戚《しんせき》というたらわし一人じゃが、わしは責任を負いませんぞ。いったいあれに遺産がいくらか入るというのもわしが無駄《むだ》づかいをせんで来たからじゃ。いまさらその禁を破る気にもなれんな。それからこの部屋にあった書きつけの類《たぐい》を勝手に持ちだそうとしていなさるが、もしそのなかにいくらかでも値うちのあるものがあったとわかったら、あとできちんと責任をもってもらいますからな」

「承知いたしました」ホームズがかわって答えた。「ところであなたはゴドフリー君の失踪について、何かご承知ではありませんか？」

「知りませんな。柄も大きいしもう子供じゃないのだから、いちいち世話をやくこともないじゃろ。いい若いものが道にでも迷ったとしても、わざわざ金をかけて探してまわるような真似《まね》は、わしゃできん」

「あなたのお気もちはよくわかりました」ホームズはいたずらっぽく眼を輝《かが》やかして、

「しかし私の立場はどうやらおわかりでないようですね。ゴドフリー・ストーントン君自身はお金はなかったらしい。だから、それが誘拐《ゆうかい》されたとすると、ゴドフリー君の財産が目あてでないことだけはたしかですね。これに反してあなたの財産のことは、ひろく世間に知れわたっています。してみると悪漢の一味が、ゴドフリー君の口から伯父さんであるマウント・ジェームズ卿の家の内部の模様、日常の習慣、財物のあり場所などを聞きだすために、誘拐するというのはきわめてありうべきことですね」

この不愉快《ふゆかい》な客の顔は、そのネクタイのようにさっと青白くなった。

「うーむ、何という！　そんな悪だくみがあろうとは思いもよらなんだ。世の中にはひどい奴がいるもんじゃな。しかしゴドフリーは立派な、頼もしいやつじゃから、どんなことがあっても伯父を裏ぎるようなことを喋りはせんじゃろ。それにしても金銀の食器類は今晩のうちにも銀行へ移しておかねば。探偵さんもどうか骨惜《ほねお》しみせずと、草の根をわけてもあれを無事につれ戻《もど》してくだされ。お金のことじゃが、五ポンドくらいなら、いや十ポンドくらいまでは、いつでもわしにそういいなさい」

気もちが和《やわ》らいできてからでも、このけちんぼう貴族は、もともと甥《おい》の私生活については何も知らないからであるが、これといって私たちの役にたつ情報はもっていなかった。このうえは不完全な電報が唯一《ゆいいつ》の手掛《てがか》りである。この電文の写しを手にして、ホームズは鎖《くさり》の第二環《かん》を求めて出発することになった。マウント・ジェームズ卿とは握手《あくしゅ》して別れたし、オヴァートンのほうはこの悲報をもってチームのものと善後策を講じに立ちさった。ホテルから遠くないところに電信局があったので、そのまえで立ちどまって、ホームズがいった。

「やってみるだけの事はあるだろうよ。もちろん許可証さえあれば、頼信紙綴りの閲《えつ》覧《らん》を求めることができるんだが、いまの段階じゃまだそこまでいっていない。忙《いそが》しいところだし、いちいち顔を覚えちゃいないだろうと思うから、とにかく当ってくだけろだ」

「お手数かけてすみませんけれど」と彼は窓口にいた若い女局員に、とても愛想よく声をかけた。「きのうお願いした電報に、ちょっとした間違いをやっちまったんです。そのためかまだ返事がきませんが、どうやら電文のあとへこっちの名を書くのを忘れたらしいんですよ。すみませんが、ちょっと調べていただけないでしょうか？」

若い女局員は頼信紙綴りをくってみながら、

「何時《なんじ》にお出しになりましたの？」

「六時ちょっとすぎなんです」

「あて名は？」

ホームズは口に指をあてて、ちらりと私を見ながら、「おしまいの文句は for God's sake（後生ダカラ）っていうんですけど……」とさも内密らしく小さな声でいった。

「何しろ返電がこないので、心配でならないんです」

若い女局員はやっと一枚選《よ》りだして、「これですね。やっぱり名前ありませんわ」とカウンターの上で皺《しわ》をのばした。

「じゃ返事がこないわけだ。何てまぬけなんだろう、僕《ぼく》は。いや、どうもありがとう。おかげで得心がゆきましたよ」表へ出るとホームズはにたりと笑って、しきりに両手をこすりあわせた。

「なにがそんなに……」

「いや、だいぶ捗《はか》どったよ。僕はあの電報をひと目みるため、七通りの策をたてていたんだが、第一策でいきなり成功しようとは、夢《ゆめ》にも思わなかったね」

「何を手に入れたんだい？」

「捜査の出発点さ」とホームズは手をあげて辻馬車《つじばしゃ》をよびとめ、「キングス・クロス駅まで」といった。

「汽車でどこかへ行くのかい？」

「ケンブリッジまでいっしょに行ってもらわなきゃなるまいね。あらゆる徴候《ちょうこう》が、その方角を指している」

「ねえ君」グレイス・イン通りを走りだした馬車の中で私はたずねた。「君はこの失踪の原因について、もうなにか見当をつけているのかい？　僕の知るかぎりでは、今までのどの事件よりも動機が曖昧《あいまい》じゃないか。まさか君は、金持の伯父《おじ》さんのことを喋《しゃべ》らせるため、誘拐されたなんて、ほんとに考えているわけじゃあるまい？」

「それはね、僕だって大して有力な説明だと考えているわけじゃないけれどね、あのおそろしく不愉快な老人の関心をひくには、これに限ると気がついたんだよ」

「それにはたしかに有効だったね。だがほんとのところ君はどう思っているんだい？」

「説明はいく通りにもつけられるがね。第一にこれが大切な試合の前夜おこったばかりか、ケンブリッジがわにとってかけがえのない、この試合になくてはならない人物が捲《ま》きこまれたということに、暗示的なものを感じるじゃないか。もちろんこれは単なる偶然《ぐうぜん》の暗合かもしれないけれど、面白《おもしろ》いところだと思う。アマチュア・スポーツに公然の賭《か》けは行われないけれど、場外での賭博《とばく》は、一般人《いっぱんじん》が相当やっているから、競馬ゴロが騎手《きしゅ》を買収するように、選手に誘拐の手をのべるということを考えつかないとも限るまい。これが第一の説明、第二にこの青年はいまでこそいかに貧しくとも、やがて莫大《ばくだい》な資産を相続することは確実なのだから、身代金《みのしろきん》ほしさに誘拐するということもありえなくはなかろう」

「そんな説明では電報問題が片づかないね」

「たしかにその通りだ。あの電報はどこまでもわれわれが取組《とっく》んでゆくべき唯一の実質的な資料なのだ。あれを一刻でも忘れることがあってはならない。いまこうしてケンブリッジへと向っているのも、この電報の意義を究明するのが目的なんだよ。いまのところ捜査の前途《ぜんと》は漠《ばく》としているけれど、晩までにはいっさいが明らかになるか、少なくともかなり捗どらなかったら、僕には意表外のおどろきだ」

古い大学の町へついたのは、もう暗くなってからだった。ホームズは駅で馬車をつかまえ、レスリー・アームストロング博士の家へと命じた。数分間で、馬車は目ぬきの通りにある大きな邸宅《ていたく》のまえで停《と》められた。すぐ中へ通され、長く待たされてから、テーブルをまえに博士の着席している診察室《しんさつしつ》へと招じ入れられた。

レスリー・アームストロングの名を知らなかったといえば、私がいかに本職から遠ざかっているか、その度合がわかるだろう。いまならば、彼がこの大学の医学部の首脳者の一人であるばかりか、科学の諸分野で全欧《ぜんおう》的な声名ある思索家だと知っている。しかも、そうした輝やかしい経歴は知らなくても、一度会えば、角ばった重厚《じゅうこう》な顔、太い眉《まゆ》の下の思索的な眼、不屈《ふくつ》な顎《あご》の線を見ただけで、誰《だれ》しもふかい印象をうけるのである。人格に深みある人、心性明敏《めいびん》、剛毅《ごうき》、自制心つよく他人に頼《たよ》らない人――レスリー・アームストロング博士はこういう人だと私は見た。博士はホームズの名刺《めいし》を手にしたまま、むっつりした顔を、必ずしも上機嫌《じょうきげん》ではないらしくあげた。

「シャーロック・ホームズさんのお名前は承《うけたまわ》っておりますし、ご職業も承知しておりますが、私としてはあんまり賛成できない職業の一つですね」

「その点、国内のすべての犯罪者も、先生と同意見のようです」ホームズがやりかえした。

「あなたの努力が犯罪の防止に向けられるかぎり、社会の大多数の支持があるのは疑いませんが、それにしてもその問題は、公《おおやけ》の組織だけで十分目的は達せられると思いますね。この職業がとかく批判の対象となりがちなのは、あなたが個人の秘密にたちいるからです。あなたは伏《ふ》せておいたほうがよい一家の秘密をあばき出したりして、それによってあなたより多忙《たぼう》な人たちの時間を浪費《ろうひ》させるからです。たとえばこの場合だって、私としてはあなたと話をするくらいなら、論文の執筆《しっぴつ》をつづけたいですよ」

「ごもっともではありますが、論文よりは話のほうが大切だったということにならぬとも限りません。ついでながらお耳に入れておきますと、私は、いまあなたから受けましたきわめて当然な非難とは正反対のことをしているのです。いったん警察の手にかかりますと、必ずや世間に暴露《ばくろ》されると考えられる個人の小問題を、何とか内密に解決したいと努力しているのです。ですから私は正規の官憲の捜査にさきだつ不正規先兵だと単純にお考えくださればよいのです。ゴドフリー・ストーントン君のことについて、お訊《たず》ねしたいことがあって伺《うかが》いました」

「どんなことです？」

「あなたはゴドフリー君をご存じでしょうね？」

「ごく懇意《こんい》なあいだがらです」

「それが失踪したのをご存じですか？」

「なに、失踪？」博士はむつかしい顔の表情をすこしも変えなかった。

「昨晩宿を出たきりで、消息がわからなくなりました」

「そのうち帰るでしょう」

「明日は大学のフットボール試合があります」

「あんな子供らしい遊びごとなぞ眼中にありませんよ。ただゴドフリー君はよく知っているし、好いてもいるから、彼の身の上については心配であるけれども、フットボールにはまったく無関心です」

「ではそのゴドフリー君の一身を捜査している私に、どうか関心をお持ちください。彼の所在をご存じですか？」

「もちろん知りませんな」

「昨日からお会いにならないのですね？」

「会っていませんな」

「ゴドフリー君の健康はどうですか？」

「いたって壮健《そうけん》です」

「病気したことがあるでしょう？」

「私の知るかぎりでは、ありませんな」

ホームズは一枚の紙片《しへん》を博士の鼻さきへひょいと突《つ》きつけて、「ではこれを説明していただきましょうか。ケンブリッジのレスリー・アームストロング博士から、先月、ゴドフリー・ストーントン君にあてた十三ギニーの受取証です。ゴドフリー君の部屋のテーブルの上にあったのを借りてきました」

博士は怒気《どき》をふくんでさっと紅潮し、「そんなことをあなたに説明しなければならぬ理由はまったくありませんな」

ホームズは受取証を手帳のあいだにしまいこんだ。

「公開の席で説明するほうをお選びならば、いずれその機会がくるでしょう。さきほども申すとおり、ほかの人なら必ず公表せずにはおかぬことも、私なら揉《も》み消せるのです。ですからここは私を信じて、打ちあけてくださるほうが賢明《けんめい》だと思いますがねえ」

「知らぬことは打ちあけようがありません」

「ゴドフリー君がロンドンから何かいってきましたか？」

「きませんね」

「おやおや！　もう一度電信局ゆきかな？」ホームズはがっかりしたように溜息《ためいき》をもらして、「きのうの夕がた六時十五分に、ゴドフリー君がロンドンからあなたに至急電報を打っている――ゴドフリー君の失踪に関係があるにちがいない電報です。しかもあなたはそれを受けとらぬとおっしゃる。不届きな話です。私はこの局へ行って、談判してやりますよ」

レスリー・アームストロング博士はそのままぬっと立ちあがった。あさ黒い顔を忿《ふん》怒《ぬ》でまっ赤にしている。

「この家を出ていただきましょう。マウント・ジェームズ卿《きょう》に頼まれたのでしょうが、私は卿やその代理人には用がありません。いや、もう何もいわんでよろしい」博士はやけにベルを鳴らして召使《めしつか》いをよび、「ジョン、このお二人をお見送りしなさい」と命じた。横柄《おうへい》な執事は、そっけなく私たちを玄関《げんかん》へ導いた。そのまま表へ出ると、ホームズは大声で笑いとばした。

「レスリー・アームストロング博士ってたしかに特色のある精力家だね。本人さえその気になれば、有名なモリアティ教授なきあとのギャップをうめるのに、あれだけ適当な人物は見あたらないよ。ところでワトスン君、この無愛想な町で知りあいもなくこうして放《ほう》りだされてしまったが、だからといってこの事件を放棄《ほうき》してしまわない限り、帰るわけにもゆかないしね。博士の家のまん前に、こんな小さな宿屋があるのはお誂《あつら》えむきじゃないか。君、表二階に部屋をとって、今夜の必要品を用意してくれたまえ。そのあいだに僕は二、三調べることがある」

気がるにどこかへ行ったホームズの調べは、本人にも意外なほど手間どって、宿へ帰ってきたのは九時にちかかった。青い顔をして埃《ほこり》をかぶり、空腹と疲労《ひろう》でくたくたになって、意気銷沈《しょうちん》していた。テーブルの上に用意しておいた温かいものぬきの夜食で空腹をみたすと、パイプに火をつけ、さて、仕事がうまくゆかないときの癖《くせ》で、半ばおどけたような、それでいて諦《あきら》めきった態度で話をはじめようとしているところへ、馬車の音がしたので、腰《こし》をあげて窓の外に眼をやった。灰いろの馬を二頭つけた四輪馬車が、博士邸《てい》の玄関口のガス灯の光をうけて停《とま》っている。

「三時間かかった。出かけたのが六時半で、いまやっと帰ってきたんだ。十マイル乃《ない》至《し》十二マイルさきまで行ってきた勘定《かんじょう》だ。しかもこれを一日に一回、どうかすると二回やっている」

「開業医ならべつに不思議はないよ」

「だがねえ、アームストロングは普通《ふつう》の開業医じゃないんだ。講師をつとめるかたわら、顧問《こもん》医師をしているのだ。これは論文執筆の時間がほしいからだが、顧問医師だから診察するだけで治療《ちりょう》はしない。患者《かんじゃ》はそれぞれの専門医に紹介《しょうかい》して治療をまかすわけだ。それほど時間の惜《お》しいアームストロングが、往復三時間もかけて往診するのはなぜだろう？　そして相手は何者なんだろう？」

「駆者《ぎょしゃ》に訊《き》けば……」

「何をいってるんだ。僕がまっ先にそれをやらなかったとでも思うのかい？　だが駆者は生れつき乱暴なやつなのか、それとも主人にいいつけられてだか知らないけれど、乱暴にも僕に犬をけしかけやがった。しかし犬も駆者も僕のステッキを見て、あえて攻勢《こうせい》にも出ず、それっきり事はおさまったがね。しかし緊張《きんちょう》は依然とけず、話をするどころじゃなかった。僕の知り得たことはすべて、この宿の中庭で働いていた土地の男から聞いたのさ。博士の日常や、近ごろ毎日往診に出かける話なんか、みんなその男が教えてくれたんだ。話を聞いているところへ、その話に力をそえるように、馬車が博士の家の玄関から走りだした」

「あとをつける訳にゃ、ゆかなかったのかい？」

「そこさ！　君は今晩はすばらしく明敏だね。僕もそれに気がついた。あのほら、この宿のとなりに自転車屋があるだろう？　いきなりあれへ駈《か》けこんで、自転車を一台借りたのさ。おかげで馬車を見失いもせずに、追跡《ついせき》にかかったよ。まず大急ぎで追いついて、それからは用心ぶかく百ヤードばかり距離《きょり》をおいて、側灯をたよりに後をつけてゆくと、やがて郊外へでた。そしてだいぶ行ったところになって、困ったことが起った。というのは田舎路《いなかみち》のまん中で馬車が急にとまったと思ったら、博士が降りて、やっぱり停って待っている僕のところへ急いで引返してきたのさ。そして皮肉たっぷりに、路が狭いから、自分の馬車が、自転車でお急ぎのあなたの邪魔《じゃま》をしているのではないかと恐縮《きょうしゅく》しているというのさ。すばらしくうまい言いかただよ。しかたがないから僕はすぐ自転車にのって馬車のわきをすりぬけて、本道をまっすぐに二、三マイルもいってから、適当な場所でとまって、馬車のくるのを待っていた。だが待てども

待てどもやってこない。途中にわき道がいくつかあったから、そのどこかへ曲りこんだにちがいないのだ。念のため引っかえしてみたが、馬車はついに見あたらなかった。恨《うら》みをのんで戻《もど》ってきたが、はたして、馬車は僕よりおくれて帰ってきたじゃないか。

もちろんはじめは、博士の遠出がゴドフリー・ストーントンの失踪と関連があると考える理由はなにもなかった。ただ博士の行動は現在のわれわれにとって興味があるから、何によらず調べてみようと考えただけなんだ。しかしこうして遠出を尾行《びこう》するものに、厳重な警戒《けいかい》の眼《め》を光らせているとわかってみると、これはかるがるしく見逃《みのが》してはおけない。こいつはどこまでも真相を究明してやらなけりゃ承知できないね」

「あすもう一度尾行すればいいだろう」

「もう一度？　そう簡単なわけにゃゆかないよ。君はケンブリッジシャーの地勢に不案内なんだろう？　隠《かく》れるところがありゃしない。今晩僕が通ったところなんか、まるで一枚の紙をのべたように平坦《へいたん》だし、相手は今晩見せつけられた通り、ひと筋縄《なわ》でゆく男じゃないんだからね。

それよりもロンドンで事態が進展してやしないか、オヴァートンに電報を打って、この宿へ返事をくれと頼《たの》んでやったが、その返事のくるまでは、あの博士に注意を集中しているしかない。ロンドンの電信局で若い女局員が見せてくれたゴドフリーの頼《らい》信紙《しんし》の宛名人《あてなにん》がこの博士なんだからね。博士はゴドフリーのいる場所を必ず知っている。その点僕は断言してはばからない。博士の知っているものを、僕たちが知り得ないとしたら、それはこっちが悪いのだ。今のところ主導権は向うが握《にぎ》っているのを認めるほかないが、君も知るとおり、いつまでもそれを許しておくような僕じゃないよ」

ホームズの決意にもかかわらず、一夜あけてもいっこうに解決の曙光《しょこう》はみえなかった。朝食のあとで一通の手紙が届けられた。ホームズが笑いながら私に渡《わた》したのを読んでみると――

拝啓　貴下が小生の行動を追及せられても、結局は徒労に終るでしょう。昨夜経験されたとおり、小生の馬車は後部に小窓あり。お望みとあらば尾行は自由ですが、力走二十マイルの後、結局出発点に戻るようになるだけです。それはさておき小生にたいしいかように探索を加えられても、すこしもゴドフリー・ストーントン君を助けることにはならず、むしろ貴下が同君への最上の助力は、ただちにロンドンへ帰り、同君の行方《ゆくえ》探索は不可能なる旨《むね》、雇傭者《こようしゃ》に報告されるにありと信じます。貴下がこれ以上ケンブリッジに滞在するのは時間の空費にすぎません。　敬具

レスリー・アームストロング

「露骨《ろこつ》だけれど正直な男だな。ふむ、おかげでますます好奇心《こうきしん》を刺戟《しげき》されるよ。ようし、こうなったらとことんまで調べずにおくものか」

「おや、博士の馬車が玄関についているよ」私が注意をあたえた。「ちょうど乗りこむところだ。ステップに足をかけながら、こっちの窓を見あげたぜ。こんどは僕が自転車で尾行してみようか？」

「だめだよ。君がどんなに敏捷《びんしょう》でも、実力のある博士にかないっこあるものか！　それよりも僕は独自の探索によって、なんとか目的を達する可能性があるように思う。ただね、この平和な田舎町で、見なれぬ男が二人がかりで、いろんなことを訊いてまわったら、そうでなくても気になっているのに、目立って具合がわるいから、君にはあとに残ってもらいたいんだがね。古い立派な町だから、あちこち見物するところもあるだろうし、何とか時間はつぶせるだろう。夕がたまでには何か朗報をもって帰れるだろうと思う」

しかしホームズはまたしても失望を味わう運命だった。夜になって、得るところもなく疲《つか》れて彼《かれ》は帰ってきた。

「むだ骨だったよ。博士のゆく方角はだいたいわかったから、一日がかりでケンブリッジの町のそっちがわの村々を片っぱしから廻《まわ》って、酒場の主人だとか、そのほか土地の噂《うわさ》に通じている連中と意見をかわしてきたんだ。かなり広く歩いた。チェスタートン、ヒストン、ウォータービーチ、オーキントンと、みんな踏査《とうさ》したけれど、どこでも失望させられた。あんな平穏《へいおん》な土地のことだから、二頭だての四輪馬車が毎日くれば、人目をひかぬはずはない。またしても博士にしてやられたよ。ときに電報はきていないかい？」

「きている。あけてみたが、『トリニティ・カレッジノジェレミー・ディクスンカラポンピーヲカリヨ』とあるが、何のことだかわからない」

「なんだ、はっきりしてるじゃないか。オヴァートンから、僕《ぼく》の電報にたいする返事だよ。ちょっとジェレミー・ディクスン君に手紙をとどけよう。きっとこれで芽が出るにちがいない。ときにあの試合はどうなった？」

「夕刊の最終版にちゃんと記事が出ているよ。一ゴールと二トライの差でオックスフォードが勝った。記事の終りにこうある。――『ライトブルー（訳注　ケンブリッジ）の敗北は国際級の名手ゴドフリー・ストーントンの欠場が主因で、試合の進行中もしばしば痛感された。スリー・クォーター・ラインに団結は欠けているし、攻防ともに弱体で、ためにチーム全体の懸命《けんめい》な努力も及《およ》ばなかった』」

「じゃオヴァートン君の予想が的中したわけだ。僕の個人的意見としてはアームストロング博士と意見がおなじでね、フットボールなんか眼中にないよ。あすは忙《いそが》しいと思うから、今晩は早く寝《ね》るとしよう」

翌朝起きてみると、暖炉《だんろ》のそばに坐《すわ》っているホームズが、手に小型の皮下注射器をもっているので、私はびっくりした。これは彼の唯一《ゆいいつ》の弱点で、彼が注射器をもっているのを見ると、私はぞっとするのだ。私がびっくりしているのを見て、彼は笑って注射器をテーブルの上においた。

「いやワトスン君、なにも心配することはないのだよ。この場合こいつは有害物どころか、この事件の謎《なぞ》をといてくれることになるんだよ。この注射器一本に、僕はあらゆる希望をかけているんだ。いま偵察《ていさつ》から帰ったばかりだがね、万事《ばんじ》うまくいった。今日はアームストロング博士を追跡するんだから、朝食はうんと食っとくほうがいいよ。いったん追跡をはじめたら、兎《うさぎ》じゃないが巣穴《すあな》へ追いつめるまで休みもしなければ、物を食べている暇《ひま》なんかないだろうからね」

「そんなら朝食は弁当にして持ってゆくほうがいいね。敵はもう出発する気らしい。馬車が玄関で待っているよ」

「平気だよ。勝手にゆかせるさ。どこまで行ったって、きっと後をつけてみせるよ。食事がすんだら階下《した》へきてくれたまえ。これからやろうとしていることにかけちゃ、すばらしい技能をもつ探偵に紹介するよ」

階下へおりると、ホームズの案内で厩《うまや》のある庭へ出ていった。するとホームズは厩の戸をあけて、ずんぐりして耳の垂れた白と茶のぶちの、ビーグルよりは大きくフォックスハウンドよりは小さいくらいの犬を引き出した。

「ポンピー君を紹介しよう。ポンピーはドラッグハウンド（訳注　臭物を追跡させる犬）じゃこの地方きっての名犬さ。からだつきでもわかるとおり、足はそう早くないけれど、嗅覚《きゅうかく》のほうは十分信頼ができる。ねえポンピー、お前がいくら早くないといったって、中年のロンドン紳士《しんし》よりは早いだろうから、あんまり困らさないでくれよ。いっそこの皮《かわ》紐《ひも》を首輪につけさせてもらうぜ。さ、できた。こっちへきて、脚《あし》の力を見せておくれ」

ホームズは犬を博士邸の玄関さきへつれていった。犬はしばらくあたりの地面を嗅《か》いでいたが、興奮して鼻をならすと、ぐいぐい紐をひいて通りのほうへ出ていった。三十分ばかりの後、町を出はずれて、犬は私たちの先にたって田舎路をぐんぐん急いでいた。

「いったい君は何をやったんだい？」私にはただごとと思えなかった。

「古い手だけれど、しばしば奇効を奏する策略さ。けさ僕は博士邸の庭へ入りこんでね、注射器いっぱいのアニシード（訳注 香料）を馬車の後車輪にかけてきた。ドラッグハウンドだから、アニシードの匂《にお》いをつけて、陸地のはてまでもゆくよ。アームストロング先生、ポンピーを振《ふ》りはなしたかったら、カム河（訳注 ケンブリッジの町はカム河畔にあり）の中へ馬車を乗り入れでもするしかあるまいて。ふん、狡猾《こうかつ》な悪人めが！　この手でこないだは、まんまとまかれてしまったんだ」

犬は急に本道からそれて、草のはえた小路へと曲りこんだ。半マイルばかりもゆくと、べつの大きい通りへ出た。それを右へ曲ると、たったいま出てきたケンブリッジの町のほうへ犬は走りつづける。道は大きく南へ曲って、私たちが出てきたのとは反対がわのケンブリッジ郊外へと廻っていった。

「ははあ、この大迂《だいう》回《かい》はわれわれに備えるためのものだったのかな？　これじゃあっちの村々を僕がいくら聞きあわせてもわからなかったはずだ。博士は必死の魂胆《こんたん》をかたむけているが、こうまで手のこんだ欺瞞《ぎまん》をやる理由が知りたいもんだよ。あの右に見えるのがたぶんトランピントンの村だと思うが……おや！　例の馬車が角を曲ってくる！　ワトスン君、早く早く！　早くしないと負けになる！」

ホームズはいやがるポンピーを引きずって、畑地の門内にとびこんだ。そしてやっと二人が生垣《いけがき》のうしろに身をかくしたかと思うと、馬車は車輪の音をひびかせて垣根のまえを通りすぎていった。馬車の中にはアームストロング博士が乗っていた。うつむいて頭を両手で支えて、どうやら深く悲嘆《ひたん》にくれている様子である。ホームズも気がついたとみえて、むつかしい顔をしている。

「この探求のゆきつくさきには、香《かん》ばしくないものが待っているのじゃないかな。どうせもうじきわかるわけだが、さあ、ポンピー！　ああ、あの畑の中の小さな家がそうだ」

疑いもなくこれで今日の行程は終りだった。ポンピーはそのへんを走りまわり、くんくんとしきりに鼻をならした。その門のまえにはちゃんと四輪馬車のわだちまでのこっている。門から細い道が小さな一軒家《いっけんや》へとつながっている。ホームズはポンピーの紐を垣根につないでおいて、足ばやに入っていった。田舎びた小さな玄関をノックするが、返事がない。しかも家の中は無人なわけではなく、ひくい人声がきこえてくる。なんともいえず陰気《いんき》な、悲嘆と絶望のうめき声である。ホームズは不決断にためらっていたが、ふと、いま通ってきた往来のほうへ眼をやった。例の四輪馬車がやってきたところである。見まがうべくもない灰いろの二頭の馬がついている。

「や、博士が引返してきた！　こうなってはいいも悪いもない。博士がくるまえに、どうなっているのか見てやろう」

私たちは玄関をあけて、中へ入りこんだ。かすかだった人声が急に大きく聞えだし、悲痛な慟哭《どうこく》とわかった。二階から聞えてくる。ホームズはやにわに二階へ駈けあがった。私もおくれじと続く。細目にあいていたドアをぐっと押《お》しひろげた私たちは、眼前の光景を見て呆然《ぼうぜん》と立ちすくんだ。

ベッドの上には若くて美しい女性が死んで横たわっているのである。おだやかな血の気のない顔を仰《あお》むけ、うつろな青い眼を大きくあけて、金髪《きんぱつ》がふさふさと波うっている。そのベッドの脚のほうには、一人の青年がひざまずくように腰をおろし、顔をシーツにうずめて泣きじゃくっているのだ。身を揉《も》んで泣きじゃくっている。悲嘆にかきくれた青年は、ホームズが肩《かた》に手をおくまで顔をあげようとすらしなかった。

「あなたはゴドフリー・ストーントン君ですか？」

「そうです。でももう間にあいません。死んでしまいました」

ゴドフリーはすっかり気が転倒《てんとう》して、私たちを、呼びにいった医者がきてくれたものと思ったらしい。ホームズは慰《なぐ》さめの言葉を簡単にのべてから、彼が急に姿をかくしたため、友人たちが心配しているという事情を説明しているところへ、階段をのぼってくる足音が聞えて、アームストロング博士がいかめしい顔をいぶかしげに戸口へ現わした。

「ははあ、ついに目的を遂《と》げましたな。しかも選《よ》りに選ってこの取りこみの最中に押しかけるとは！　死者のまえだから口論などしたくはないが、私がすこし若かったら、この無作法はただ見のがしてはおかないということを注意しておきたい」

「失礼ながら、おたがいのあいだには、若干《じゃっかん》ゆきちがいがあると思います」ホームズはやや改まっていった。「ちょっと階下までお出《い》でねがえれば、この不幸な問題について、おたがいある程度の了解《りょうかい》に到達《とうたつ》しうるのではないかと思います」

まもなく私たちは階下の居間で、苦りきった博士と対談することになった。

「どんなお話ですかな？」

「まず第一にご諒承《りょうしょう》ねがいたいのは、私がマウント・ジェームズ卿《きょう》の依頼《いらい》で働いているのではないこと、私の立場はこの問題に関するかぎり、卿とは相反するものである点です。ひとりの人間が行方不明になれば、その運命をつきとめるのは私の仕事ですけれど、突《つ》きとめてしまえばそれで私の役は終りです。そこに犯罪でもないかぎり、私人の秘密をあばきたてるのは私の好まぬところで、むしろ揉みけしたいほうです。今回の問題にいたしましても、法律違反《いはん》はないものと考えますが、はたしてそうならば、口は極力つつしみましょうし、新聞などに漏《も》れないようにとの配慮《はいりょ》の点におきましても、絶対に信頼を裏ぎるようなことは致《いた》しません」

博士はつと歩みでると、ホームズの手をぐっと握りしめた。

「あなたは立派なかただ。私は誤解していました。こんな悲境にゴドフリーをたったひとりのこして帰るのを悔《く》いたおかげで、あなたのようなかたと知りあいになれたことを神に感謝します。あなたはかなり事情をご承知だから、話はごく簡単にすすめられます。

ゴドフリーは一年ほどまえにロンドンで一時下宿しましたが、その家の娘《むすめ》と恋《こい》におちて、ついに結婚《けっこん》しました。その娘というのは美しくもあったが性質がよく、聡明《そうめい》で、どこへ出しても妻として恥《はず》かしからぬ女でした。しかしゴドフリーは例のひねくれた老貴族の相続人で、この結婚のことが老人に知れたら、相続をとり消されるのはわかりきったことです。

私はゴドフリーをよく知っているが、いろいろのすぐれた素質をもっているので愛していました。そこで私は事を荒《あら》だてないように、あれこれと骨を折ってやりました。まず私たちは極力このことを人に知られないように努めました。こうした話というものは、一人でも知ったが最後、じきに一般《いっぱん》に知れわたるからです。幸いここは一軒家だし、ゴドフリーが慎重《しんちょう》にふるまったおかげで、これまでは無事にすごしてきました。この秘密を知るものは私と、いまちょっとトランピントンの村まで人を頼みに行っているが、忠実な下男だけです。

ところがここに大変なことが起りました。ゴドフリーの妻が大病になったのです。病気はもっとも悪性の肺結核でした。ゴドフリーは心配のあまり気も狂《くる》わんばかりでした。しかも彼はこんどの試合のためロンドンへ行かなければならない身です。説明なしに試合からは抜《ぬ》けられないし、説明すればこの秘密が暴露《ばくろ》します。私は電報で元気づけてやりました。するとその返事をよこして、何とか助けてほしいといってきました。どういう手段でごらんになったか知らないが、あなたの見た電報というのはこれです。ゴドフリーがそばについていても、どうにもなるものでないから、私としては容態がたいへん悪いことはいわずにおきましたが、彼女《かのじょ》の父親にだけは知らせてやったのです。ところが父親は浅はかにもゴドフリーに知らせてしまったのですね。

その結果、ゴドフリーは狂乱《きょうらん》にちかい状態で駈《か》けつけてきて、とうとう今朝がた彼女が苦しい息を引きとるまで、同じ半狂乱の状態でベッドのはじに跪《ひざま》ずいたままでした。お話しすることはこれだけですが、このうえはホームズさんにもこちらのかたにも、思慮ある判断を期待するばかりです」

ホームズは博士の手をかたく握った。「では行こう、ワトスン君」

私たちはこの悲しみの家から、冬のうす陽《び》のさす中へと出ていったのである。

——一九〇四年八月『ストランド』誌発表——

# ショスコム荘《そう》

シャーロック・ホームズはながいあいだ、低倍率の顕微鏡《けんびきょう》を覗《のぞ》きこんでいたが、やっとからだを起すと、得意そうに私のほうを振《ふ》りかえっていった。

「ニカワだよ。問題なくニカワさ。いろんなものが散在するから、ちょっと覗いてみたまえ」

私は接眼レンズに眼《め》をあてて焦点《しょうてん》を自分の眼にあわせた。

「毛のようなものはツイード地の繊維《せんい》で、不規則な灰いろのものは埃《ほこり》さ。左のほうに上皮細胞《さいぼう》の細片が見える。中央の茶いろの小斑点《しょうはんてん》は確実にニカワだよ」

「ほう」と私は笑いながらいった。「すべて君のいう通りとしておくがね、それが何かになるのかい」

「きわめて微妙《びみょう》な証明になるのさ」というホームズの答えだった。「セント・パンクラス事件で巡査《じゅんさ》の死体のそばに帽子《ぼうし》が一つおちていたのを覚えているだろう？　容疑者は自分のじゃないと否認《ひにん》しているが、この男は額縁《がくぶち》製作業者で、ふだんニカワを扱《あつか》っているのだ」

「あれは君が調べているのかい？」

「そうじゃないが、警視庁の友人のメリヴェールに頼《たの》まれたものだからね。いつぞやカフスの縫目《ぬいめ》に亜鉛《あえん》と銅のヤスリ屑《くず》のあるところから、貨幣贋造者《かへいがんぞうしゃ》を僕《ぼく》が押《お》さえてからというもの、警視庁でも顕微鏡の重要性に気がついたらしい」といって彼《かれ》はいらいらして時計を見やった。「新しい依頼人《いらいにん》が来ることになっているのだが、おそいなあ。ときに君は競馬のことをいくらか知っているかい？」

「当然さ。僕は戦傷者年金の半分はそれに注《つ》ぎこんでいるよ」

「じゃ君に〝競馬案内〟になってもらうことにしよう。サー・ロバート・ノーバートンてどういう人だい？　この名を聞いて何か思いだすことでもあるかい？」

「あるね。この人の家はショスコム荘といってね、ひと夏僕はその附近《ふきん》で過したことがあるから、よく知っている。ノーバートンはかつてもう少しで君なんかの手にかかるところだった」

「どういう事情だったのだい？」

「ニューマーケット・ヒースの競馬で、カーゾン街の有名な金貸しサム・ブリューワーを鞭《むち》で打ったときのことだがね。もう少しで殺してしまうところだった」

「ふむ、面白《おもしろ》そうな男だ。ちょいちょいそんな暴力をふるうのかい？」

「危なくて油断のならない男だという評判だった。イングランドではまあ最も大胆《だいたん》な騎手《きしゅ》だろう――数年前のリヴァプールの野外競馬では二位だった。誤って時代がすぎてから生れた人物の一人だね。摂政《せっしょう》の時代（訳注 一八一〇年から一八二〇年まで）にでも生れていたら時代の寵児《ちょうじ》にされた男だ。拳闘家《けんとうか》、スポーツマン、競馬場では賭《か》けの花形、美しい婦人にはちやほやされる、どう考えても身の破滅《はめつ》をまねいて、二度と浮《うか》びあがれないという男だね」

「うまい！　即席《そくせき》の簡単な描写《びょうしゃ》だが、それでどうやらこの男がわかる。ところでこんどはショスコム荘のことを聞かせてほしいね」

「そう詳《くわ》しくも知らないが、ショスコム猟園《りょうえん》の中心にあって、有名なショスコム馬産場や調教場のあるところだ」

「その中の調教師長というのがジョン・メースンといってね、なに、そんな顔をすることはないさ。いま僕のひろげているのが、その男からきた手紙なんだ。だがその話はあとにして、ショスコム荘のことをもっと聞こう。どうやら面白い事件にめぐりあわせたらしいね」

「それからショスコム・スパニエルがある。どこの犬の展覧会でも必ず聞く名前だ。

イギリスでも最も純血な種類でね、ショスコム荘の女主人の特別の自慢《じまん》になってい
る」
「つまりサー・ロバート・ノーバートン夫人のことだね？」
「サー・ロバートはまだ独身なんだ。前途《ぜんと》のことを考えれば、かえってよかろうと思
う。妹で未亡人のビアトリス・フォールダー夫人といっしょに暮《くら》しているのだ」
「夫人が同居しているという意味かい？」
「ちがうよ。ショスコム荘は彼女《かのじょ》の夫、故サー・ジェームズのものなんだ。ノーバー
トンには何の権利もない。彼女の所有権も彼女一代きりで、死ねば財産はすべて夫の
弟へ復帰することになっている。それまではまあ、毎年土地からあがる収入は彼女が
取りたてているわけだ」
「それを実兄のサー・ロバートが費《つか》っているわけなんだね？」
「まあそんなところだ。何しろひどい男のことだから、妹の朝夕も定めしみじめなも
のだろう。それでも兄を心から愛しているということだが、あそこで何があったのだ
い？」
「そいつが僕も知りたいところなんだがね。どうやらそれを話してくれる男がきたら
しいよ」

ドアがあいて、給仕が案内してきたのは背のたかい、髭《ひげ》のない顔の引きしまった厳《いか》めしい男であった。多くの馬とか雇《やと》い人たちを監督《かんとく》する立場にある人物にのみよくみる風貌《ふうぼう》である。事実ジョン・メースンはそのどちらをも数多く支配していた。どちらにも同じように気をくばっていた。まず冷やかな落ちつきを示して一礼すると、ホームズが手で示した椅子《いす》へ腰《こし》をおろした。

「手紙をさしあげておきましたが……」

「頂きました。でもあれでは何もわかりません」

「手紙に書いていいような、なまやさしい問題じゃありませんし、それに込《こ》みいっていましてね。どうしてもお目にかかってお話しするしかないのです」

「ではお話を伺《うかが》いましょう」

「何より先に申しあげますが、私の主人サー・ロバートはどうやら発狂《はっきょう》したらしいです」

ホームズは眉《まゆ》をあげて、「ここはベーカー街です。ハーリー街（訳注 有名な医者町）じゃありません。ですがなぜそう思われるのですか？」

「それはです。人が変な挙動をしたといっても一度や二度のことなら、何かわけのあることと見のがしもできましょうが、することなすことすべてが変だとなっては、おだやかじゃありません。ショスコム・プリンスのことやダービー競馬のことが、頭へきたものに違《ちが》いありません」

「ショスコム・プリンスというのは、あなたの管理している若駒《わかごま》のことですか?」

「イングランド一の名馬です。その点は誰《だれ》がなんといっても確実です。まああなただから正直に申しあげてしまいましょう。あなたは名誉《めいよ》を重んずる紳士《しんし》だし、ほかへ漏《も》れる心配はありませんからね。

サー・ロバートはこんどのダービーでどうしても勝たなきゃならないのです。いまでは借金で首もまわらない状態で、これが残された唯一《ゆいいつ》の機会なのです。工面のつくかぎり金をかき集め、貸す人があれば借りてまでこの馬に賭けているのです——しかもすばらしい率でね。今じゃ一対四十なら買えますが、賭けはじめたころは一対百に近かったのです」

「そりゃまたどうしてです? その馬はそんなによいのですか?」

「世間じゃどんな調子だか、何も知りません。サー・ロバートは抜目《ぬけめ》がないですから、情報取りなんか寄せつけもしないです。ショスコム・プリンスには腹ちがいの兄弟馬がいますが、人に見せるにはこれを出すのです。ちょっと見たんじゃ見わけがつきゃしません。それでいてギャロップさせてみると、二百二十ヤードで二馬身はちがうのです。サー・ロバートの浮沈《ふちん》はこの勝負一つにかかっているのですから、それまでは金貸しを避《さ》けているのですが、万一負けでもしたら、何もかもおしまいですね」

「ふむ、それは無茶な一か八かの手を打ったものだが、発狂したというのは何からそう考えられるのですか？」

「それは何といっても、お会いになりさえすればわかります。夜じゅう厩《うまや》につききりですから、一睡《いっすい》もなさらないのだと思いますよ。眼つきもまっ赤で、尋常《じんじょう》じゃありません。そんなですからあのかたの神経には重荷すぎるのですね。それからビアトリス夫人にたいする仕打ちにしてもです」

「ははあ、ビアトリス夫人にね！　どんな仕打ちなのですか？」

「今まではずっと仲がよかったのです。趣味《しゅみ》もおなじですし、サー・ロバートに負けぬくらい馬もお好きで、毎日きまった時刻になると馬車で厩へもいらっしゃいますし、ことにショスコム・プリンスは大のお気にいりでした。

プリンスのほうも、砂利《じゃり》道に夫人の馬車の音が聞えると耳を立てて待ちかまえ、毎朝のことですが、角砂糖をもらいにとっとと出ていったものです。ですがそれもこれも、今ではいっさいご破算です」

「なぜです？」

「なぜですかビアトリス夫人は馬にはすっかり興味を失っておしまいの様子で、この一週間というもの、馬車のお散歩にも厩のまえは素通《すどお》りなさって、『お早う』ともおっしゃいません」

「兄妹喧嘩《げんか》でもしたのですかね？」

「それも意地わるく猛烈《もうれつ》な喧嘩ですな。でなければビアトリス夫人が子供のように可愛《かわい》がっていらしたスパニェルを、サー・ロバートが何でよそへお遣《や》りになりましょう？　三マイルばかり離《はな》れたところに〝グリーン・ドラゴン〟という宿屋がありますが、そこのバーンズという亭主《ていしゅ》に、五、六日まえに遣っておしまいになりました」

「それはたしかに妙ですな」

「もちろん、ビアトリス夫人はもともと心臓のお弱いところへ、水腫《すいしゅ》がおありですから、サー・ロバートと一緒《いっしょ》に出歩くことはありませんでしたが、それでもサー・ロバートは毎晩二時間くらいは、お妹さんのお部屋でおすごしになりました。

ビアトリス夫人はお兄さま思いで、ちょっと例のないくらいよくしておあげになりますから、サー・ロバートとしても出来るだけのことはしておあげになるのが当然でしょう。でも、それもやっぱりおしまいになりました。サー・ロバートはお妹さんのお部屋などへ寄りつきもなさいませんし、ビアトリス夫人はそのことをお悲しみになって、ふさいでばっかり——むっつりしてお酒を、しかも浴びるほど飲んでいらっしゃるのですよ、ホームズさん」

「ビアトリス夫人は、仲たがいするまえからお酒は飲んでいたのですか？」

「そうですね。今までだってグラスを手になさったことはありますが、ちかごろときたら一晩にボトル一本完全にお空けになることも珍《めず》らしくはないです。執事《しつじ》のステファンがそう申していました。

何もかも以前とは変ってきましたよ。何だか家の中がすっかり狂《くる》ってしまっています。それにしてもサー・ロバートは深夜古い教会の納骨堂へ何しに降りていらっしゃるのでしょう？　またそこへ密会しにくるのはどこの男でしょう？」

ホームズはしきりに手を揉《も》みあわせて、

「それからどうしました？　ますますお話が面白くなってきました」

「はじめそいつを見つけたのは執事ですがね、雨のはげしく降る夜中の十二時ごろだったそうです。それで翌晩は私が家の中で起きて見張っていますと、サー・ロバートはやっぱり出かけてゆきます。そこでステファンと二人、そっと後をつけてゆきましたが、万一見つかりでもしたら、ただじゃすみませんから、それこそビクビクものでしたよ。なにしろ怒《おこ》ったとなったら、誰かれの見さかいなく、物すごい拳固《げんこ》を飛ばすかたですからな。ですからあまり近よるのは大の禁物でしたけれど、それでも姿を見失うようなことはありませんでした。

目ざす行きさきは教会のお化け納骨堂で、行ってみると一人の男が待ちかまえていました」

「そのお化け納骨堂というのは何ですか？」

「ショスコムの猟園のなかには荒《あ》れはてた古い礼拝堂があります。いつごろ建てたものか、誰も知らないほど古いものですが、その下が大きな地下室の墓所になっていて、私たちはそこをお化け納骨堂と呼んでいるのです。暗くてじめじめしたところですが、昼間はともかく、夜中にそこへ入ってゆくほど気のつよい者は、あの地方じゃ一人だっていやしません。

でもサー・ロバートはべつです。あのかたは世のなかに怖《おそ》ろしいものなど一つもないかたです。それにしても夜の夜中にそんなところへ来て、何をするおつもりなのでしょう？」

「待ってください」ホームズがさえぎった。「あなたはいま、ほかの男が待っていたといいましたね？　厩《つ》で働いている誰かか、それとも家のものに違いないと思いますが、その男が誰かを突《つ》きとめて、何が目的か訊《き》いてみたのでしょうね？」

「それがまったく知らない人でした」

「ほう、どうしてわかります？」

「それはその男と顔をあわせて、言葉までかけたからですよ。あれは二日目の晩のことですが、うすく月あかりがあったので、まるで二羽の兎《うさぎ》のように灌木《かんぼく》の繁《しげ》みに隠《かく》れてふるえている私たちの鼻さきを、サー・ロバートは何も知らずに帰っていらっしゃいました。

　ところがそのあとにまだ誰かの動く気配があります。でもべつに怖れるにも及《およ》びませんからサー・ロバートの姿が遠ざかるのを待って、隠れ場所から這《は》いだし、月に浮れて散歩でもしているといった調子でそっちへ近づいてゆき、いきなり声をかけました。

『今晩は！　そこにいるのは誰だね？』

　向うは私たちの足音に気がつかなかったとみえて、悪魔《あくま》が地獄《じごく》から出てくるところでも見たように、ぎょっとして振りかえりました。そしてわっと声をあげると、暗い中を転げるようにして逃《に》げだしました。その早いことといったら、呆《あき》れるばかりで、たちまち姿はおろか、足音さえ聞えなくなってしまいましたが、どこのどういう男か、結局わからずじまいでした」

「でも月の光で、顔をはっきり見たのでしょう？」

「そりゃ見ましたが、黄いろい顔をした、けちな野郎《やろう》で、あんな奴《やつ》がサー・ロバートといっしょになって、いったい何をしようというのですかねえ？」

ホームズはしばらく黙《だま》って考えていた。

「ビアトリス・フォールダー夫人には誰がつき添《そ》っているのですか？」

「小間使いのキャリイ・エヴァンズです。五年ごし附《つ》いています」

「もちろん忠実な女でしょうね？」

メースンはちょっともじもじしてから、

「忠実には違いありませんが、はて誰に忠実なのですかねえ」

「ははあ、なるほどね！」

「告げ口めいたことは言いたくありませんのでね」

「それはそうでしょう。いや、事情はよくわかりました。サー・ロバートがワトスン君のいうような人物だとすれば、どんな女だってただじゃすまないでしょうからね。兄妹喧嘩の原因というのも、そこに根ざしているのだとは思いませんか？」

「何だか知りませんが、このスキャンダルはだいぶ前からもっぱらの噂《うわさ》ですがね」

「しかしビアトリス夫人は知らないでいたのですな。それがふとしたことから急に気づいて、女を追い出そうとするが、兄が許さない。といって心臓がわるく、なに一つ自分ではできない彼女は、自分の意志を強行する手段をもたない。いやだと思う小間使いの世話をうけるしかないので、彼女はむっつりと口もきかなくなり、酒さえ飲むようになったのです。

一方サー・ロバートは、腹だちまぎれに妹の可愛がっているスパニエルを取りあげて、よそへ遣ってしまった。どうです、これで話の辻褄《つじつま》があうじゃありませんか？」

「まあそうでしょう、いままで申しあげたところからいえばね」

「そうです。いままで伺ったところではね。ですが夜ごと古い納骨堂を訪《おとず》れる問題とこれとはどう関係があるのでしょう？　せっかく筋立はしたが、これをどこへどう組みこむか、始末がわるいですね」

「そうですとも。もっと組みこめないことがありますよ。サー・ロバートは何だって死骸《しがい》を掘り出したりなどするのでしょう？」

ホームズはぎくりとして坐《すわ》りなおした。

「これは昨日あなたに手紙を出してから発見したばかりですが、サー・ロバートはきのうロンドンへお出かけでした。そこで私はステファンと納骨堂へ行ってみますと、ほかのところは何ともありませんが、片隅《かたすみ》に人間の死体の一部がころがっています」

「警察へ届け出たでしょうね？」

客は気味のわるい微笑をうかべた。

「それがねえ、届けても相手にしてくれそうもないと思いまして……死骸といっても、頭と骨が少しですが、まるでミイラのようになっています。おそらく千年もまえのものでしょうか。しかし以前にはなかったのです。決して思いちがいなんかじゃありません。ステファンだってそれは保証してくれます。片隅に積みかさねて板を立てかけてありますが、以前はそこは何もおいてなかった場所なのです」

「その骨をどうしました？」

「そのままそっとしておきました」

「それは賢明《けんめい》でした。サー・ロバートはきのう家を留守にしたということですが、もう帰ってきましたか？」

「今日お帰りのはずです」

「サー・ロバートが妹さんの犬を処分したのはいつのことですか？」

「今日でちょうど一週間になります。犬が古い井戸小屋の外でしきりに吠《ほ》えたてるものですから、その朝サー・ロバートがとくに機嫌《きげん》がわるかったせいもありましょうが、いきなりひっ捉《つか》まえたので、殺す気じゃないかと思いましたが騎手のサンディ・ベインに渡《わた》して、こんな犬は二度と見たくないから、〝グリーン・ドラゴン〟のバーンズに遣ってこいと命じました」

ホームズはしばらく黙って考えこんでいた。いちばん古くて汚《きたな》いパイプを吹《ふ》かしている。

「メースンさん、いったいこの問題を私にどうしろとおっしゃるのか、まだよく呑《の》みこめませんよ。そこのところを、もっとはっきりとさせていただきたいですね」

「これをお目にかけたらはっきりすると思います」

といってメースンはポケットから紙に包んだものを取りだし、ていねいに広げると、黒こげになった小さな骨片《こっぺん》が出てきた。ホームズは興味をもってそれを検《あら》ためた。

「どこで手に入れました？」

「ビアトリス夫人のお部屋の真下にある地下室に、セントラル・ヒーティング用の炉《ろ》がありますが、だいぶまえから使わないでいたのに、サー・ロバートは寒くてならないといい、火を入れさせました。炉を焚《た》くのは私が監督している使用人のハーヴィー少年の役になっております。ところが今朝ハーヴィーは私のところへきて、炉の燃殻《もえがら》をかきだしたら、こんなものが出てきたというのです。だいぶ気味わるがっていました」

「私だって気味がわるいですよ。ワトスン君、これ何だろうね？」

黒こげになってはいるけれど、解剖学《かいぼうがく》上の所見は見紛《みまご》うべくもなかった。

「人体の大腿骨《だいたいこつ》の上部骨瘤《こつりゅう》だね」私は断定した。

「そう！」とホームズは急にひどく真面目《まじめ》になって、「その少年はいつ炉を焚くのですか？」

「毎晩焚きつけておいて、出てくるのです」

「ではそのあとで、誰でも降りてゆかれるわけですね？」

「もちろんです」

「屋外からも降りて行けますか？」

「屋外から降りられるドアが一つあります。もう一つはビアトリス夫人のお部屋のそばの廊下《ろうか》から、階段を降りてゆくようになっています」

「そこに何か事情がありますね、うしろ暗い事情が。サー・ロバートはゆうべは留守だったといいましたね？」

「ええ」

「すると誰のやったことだか知らないが、骨を焼いたのはあの人ではない」

「そういうことです」

「犬を遣った宿屋は何とかいいましたね？」

「〝グリーン・ドラゴン〟です」

「バークシャーのあのへんには、魚釣《さかなつ》りにいい場所はありませんか？」

人の好《よ》い調教師はこれを聞くと、困ったことにまたもや狂人が現われたといいたげな顔をした。

「そうですね、水車小屋のある川では鱒《ます》が釣れるし、ホール湖では淡水《たんすい》カマスが釣れるそうですよ」

「それは好都合です。ワトスン君も私も釣りのほうじゃ有名なのです——そうだね、ワトスン君？　これから用事がおありでしたら、〝グリーン・ドラゴン〟のほうへお出《い》でください。今晩あちらへ移ります。申すまでもありませんが、わざわざいらっしゃるまでもなく、手紙をくだされば十分用は足りますし、お目にかかる必要が生じたらこちらからお伺いもします。はっきりした意見は、もう少し問題を見きわめた上で申しあげます」

こういうわけで、五月のある輝《かが》やかしい夕がた、ホームズと私は一等車の車両を二人だけで独占《どくせん》して、ショスコムの『お知らせがないと停《と》めません』小駅へと向ったのである。頭の上の網棚《あみだな》には釣竿《つりざお》、リール、バスケットなどがいっぱい積んである。目的の駅で降りて、ちょっと馬車を走らすと古風な旅館へ着いた。釣り好きの亭主ジョサイア・バーンズは話を聞いて大乗気で、附近《ふきん》の魚類を絶滅《ぜつめつ》させるわれわれの計画に参画した。

「ホール湖の様子はどうだね？　カマスは見込《みこ》みがあるだろうか？」

ホームズが水を向けると、亭主はたちまち浮《う》かぬ顔になって、

「そいつはいけませんや。一尾《いちび》も釣らないうちに、旦那《だんな》のほうが湖水へ叩《たた》きこまれるのが落ちでさあ」

「ほう、それはまたどうしてだね？」

「サー・ロバートがいけないんでさ。あの人は馬の情報屋をとても警戒《けいかい》していますからな。顔見知りでもねえ旦那がたが調教場のそばへでも寄りつこうもんなら、決して放っときゃしません。サー・ロバートときたら、けっして見逃《みのが》しっこありゃしませんよ」

「そういえばサー・ロバートは、こんどのダービー競馬に持馬を登録しているそうだね？」

「それもなかなかいい若駒《わかごま》ですがね。おかげで私たちも有り金をはたいて賭《か》けさせら

れましたが、サー・ロバートときたら洗いざらいこの馬一つに張っているんでさあ。ときに」といって亭主は急に警戒のいろをみせ、「旦那がたは競馬が商売じゃないでしょうな？」

「そんなことはないよ。ロンドン生活に疲《つか》れてバークシャーの良い空気を求めてやって来ただけのことなんだ」

「それならここは持ってこいの場所でさ。いろんな条件がそろっているからね。だがいまいったサー・ロバートのことは忘れなさんな。口より手のほうが早い人だ。猟園《りょうえん》には寄りつかないことでさあ」

「いいことを教えてもらった。この教えは固く守ることにしよう。ときにホールでクンクンいっている犬は、すばらしく美しいスパニェルだね」

「美しい犬でしょうが。純粋のショスコム系統ですからな。イギリス中さがしても、これだけの犬はいやしません」

「私もこれで大の愛犬家だが、こんなことを訊いてもいいものかどうか、あれだけの名犬になると、代価はどのくらいしますね？」

「サー・ロバートがただでくれたからいいようなものの、買うとしたら私なんかにゃ手が出ませんや。だからああして繫《つな》いでありますのさ。放してでもおこうものなら、たちまち館《やかた》へ逃げてゆくに決ってますからね」

「しだいに材料が集ってくるね、ワトスン君」とホームズは、亭主がたち去ったのでいった。「もっともそれですぐどうということもないが、一両日のうちには何とか方針がたつと思う。ところでサー・ロバートはまだロンドンから帰らないそうだよ。だから今晩にも神聖な領域へ入りこんでも、危害を加えられる怖れだけはないわけだね。僕《ぼく》は二、三確かめておきたいことがある」

「なにか見こみがついたのかい？」

「見こみというほどのこともないが、一週間ばかりまえにショスコム荘にはなにか生活をゆさぶるほどの大事件があったということはいえると思う。その何かとは果してどんなことか？　いまはただ結果から推察するしかないが、妙《みょう》にこんがらがった性質のもののように思われる。だがそのため却《かえ》ってわれわれは助かるのだ。無色平凡《へいぼん》な事件になると、手がつけられない。

そこでまず、わかっている材料を考察してみよう。兄が病身の愛する妹を慰《なぐ》さめに行かなくなった。しかも妹の可愛がっている犬をよそへ遣ってしまった。犬は妹のものなんだよ。これで何か示唆《しさ》されるところはないかい？」

「さあ、兄が腹をたてたんだね」

「そうもいえるだろうが、そう、ほかに考えかたもあるよ。ま、ここでは兄妹喧嘩《げんか》――喧嘩したものとしてね――のときからの情勢考査をつづけることにしよう。ビアトリス夫人は今までの習慣に反して部屋に閉じこもったきり、小間使いをつれて馬車で散歩するときのほかは顔も見せず、ドライヴに出ても愛馬のいる厩《うまや》にはたち寄りもしないで、そのうえ酒さえ飲むらしい。これで要はつくしていると思うが、どうだい？」

「納骨堂の件をのぞけばね」

「それはまた別の線だ。この事件には思考の方向が二つあるのだから、混同しないでもらいたい。A線のほうはビアトリス夫人に関するものだが、何となく不気味な趣《おもむ》きがあるではないか？」

「そうかねえ。僕にはさっぱりわからない」

「ふむ。じゃこんどはB線のほうを考えてみよう。これはサー・ロバートに関するものだ。

彼《かれ》はダービーで勝つことに夢中《むちゅう》になっている。彼はまた高利貸に首根ッ子を押《おさ》えられていて、いつ何時《なんどき》競売処分に附されるか、債権者《さいけんしゃ》に厩舎《きゅうしゃ》を馬ごと差押えられるかわからない状態にある。元来が大胆《だいたん》で向う見ずな男だが、収入はすべて妹にたよっている。その妹の小間使いがまた彼の意のままになる手先だときている。ここまではまず間違《まちが》いのないところだろう？」

「それはいいが、納骨堂の問題はどうなんだ？」

「うむ、その納骨堂だがね。これは一つの汚《けが》らわしい仮定にすぎないが、サー・ロバートは妹を亡《な》きものにしたという推定を、議論をすすめるために下してみるとしよう」

「ええッ、そんなバカなことがあるものか！」

「いや、そうでもない。なるほどサー・ロバートは名門の生れだ。だが鷲《わし》の群れの中にもどうかすると鴉《からす》がまぎれこんでいることはあるものだからね。まあしばらくこの想定のもとに議論をすすめてみよう。

サー・ロバートとしては、ひと身代つくってからでなければ、高飛びするわけにもゆかない。ところがそのひと身代は一《いっ》にかかってショスコム・プリンス計画の成否いかんにある。だからまだ当分この地に踏《ふ》みとどまっていなければならない。

それがためには犠牲者《ぎせいしゃ》の死体を何とか処分しなければなるまいし、また一方では妹の身替《みがわ》りをつとめてくれるものを用意しなければなるまい。それには小間使いという腹心があるから、さしたる困難はない。

死体はひとまず納骨堂へ運んでおけば、人のほとんど行かないところだから、秘密は保たれるだろう。そうしておいて夜間ひそかに炉で焼却《しょうきゃく》したのだろうが、その際すでに見せられたあの証拠《しょうこ》が残ったというわけだ。どうだね、この考えかたは？」

「ふむ、妹殺しという唾棄《だき》すべき想定を認めるとすれば、そういうことになるだろうね」

「明日はちょっとした実験をやってみたいと思う。そうすればいくらか判然とするだろう。それまでのところ、われわれの素姓《すじょう》をあくまでさっき亭主《ていしゅ》に話した通りにしておきたかったら、亭主に酒を出させて杯《さかずき》を交《か》わしながら、鰻《うなぎ》やウグイの話でもすることにしようよ。亭主を喜ばすにはそれが何よりだ。話のうちには、この土地の噂話で何か役にたつようなことが聞けないものでもないだろうしね」


翌朝ホームズは、川カマス用の擬餌鉤《ぎじばり》を忘れてきたことを発見した。おかげでこの日は釣りをしなくてもよいことになった。そこで十一時ごろ散歩に出たが、そのとき彼は黒いスパニエルを連れて行く許しを得た。

「ここがそうだよ」

頂上に紋章《もんしょう》の怪獣《かいじゅう》を飾《かざ》った二本の高い門柱が左右に聳《そび》えている場所までくると、ホームズは立ちどまっていった。

「バーンズから聞いたのだが、正午になるとビアトリス夫人はドライヴに出てくるそうだ。門扉《もんぴ》の開くのを待つあいだ、馬車は徐行《じょこう》しなければならないという。だからワトスン君は、馬車が門を出てから速力を加えないうちに、馭者《ぎょしゃ》に何か問いかけて、引きとめてほしいのだ。僕のことは念頭におかなくてよい。僕はこの柊《ひいらぎ》のうしろに隠《かく》れていて、どういうことになるか、見ていたいのだ」

たいして待つにも及《およ》ばなかった。十五分ばかりもすると、黄いろく塗《ぬ》った四輪の大型無蓋《むがい》馬車が、脚《あし》をたかくあげる灰いろのすばらしい二頭の馬に牽《ひ》かれて出てきた。ホームズは犬をつれて灌木《かんぼく》のうしろへしゃがんだ。私はそれにはかまわず、ステッキを振り振り路《みち》のまん中に立っていた。やがて門番が走り出て、門扉をぎいと大きく開けた。

馬車は歩調をぐっとゆるめたので、乗っている人物をよく見ることができた。化粧《けしょう》の濃《こ》い亜麻《あま》いろの髪《かみ》の、眼《め》つきの厚かましい若い女が左の席を占《し》めている。その右がわには、いかにも病身らしい年長の人物が、ショールを顔から肩にかけてまとって、背なかを丸くしておさまっている。

馬車が門外へ出てきたところで、私は命令的に片手をあげて制し、馭者がぐいと手《た》綱《づな》を控《ひか》えたので、サー・ロバートはショスコム荘《そう》に在邸《ざいてい》かとたずねた。

同時にホームズが姿を現わし、犬を放った。するとスパニェルは嬉《うれ》しそうな声をあげて馬車に走りより、ステップに跳《と》びあがったが、喜びはたちまち怒《いか》りにかわり、垂れさがっている黒いスカートの裾《すそ》にいきなり咬《か》みついた。

「出しなさい！　馬車を出しなさい！」あらあらしく命ずるのが聞え、駆者はひと鞭《むち》くれ、たちまち走りさってしまった。

「どうだい、うまくいったね」ホームズは逸《はや》りたつスパニェルの首輪に紐《ひも》をつけながら、

「女主人だと思ったのが別人だったのだ。犬はけっして人違いはしないからね」

「あの声は男だったぜ！」

「そうさ。これでカードがまた一枚手に入ったわけだ。だがこのカードを使うには、やっぱり慎重《しんちょう》でなければならないよ」

この日はホームズもこれ以上の計画はないらしく、午後は水車小屋の川でほんとに釣道具を振《ふ》りまわし、夕食のテーブルに鱒を一皿《ひとさら》加えることができた。その夕食のあとになって、ホームズはふたたび活動のきざしを見せた。すなわち朝とおなじように、またしてもショスコム荘の門のところへ出かけていったのである。行ってみると門の

そばに背のたかい黒い人影《ひとかげ》が立って待っていた。ロンドンへ訪ねてきた調教師のジョン・メースンであった。

「今晩は、お手紙を拝見しましたよ、ホームズさん。サー・ロバートはまだですが、今夜はお帰りになるそうです」

「納骨堂まではどのくらいありますか？」

「四分の一マイルはたっぷりあります」

「じゃサー・ロバートのことはまったく考えなくてもいいでしょうね？」

「いいえ、それは困ります。お帰りになったらすぐに私を呼んで、ショスコム・プリンスの具合をお訊《き》きになりますから」

「わかりました。それならあなたに手助けしていただくわけにゆきませんね。納骨堂まで案内だけしてくだされば、あとはお帰りになっていいです」

月のないまっ暗な晩だったが、メースンは草地を踏んで案内にたち、やがて前面に黒い大きなものの見えるところへ私たちを導いたが、それが古びた礼拝堂だった。もとは入口だったのだろうが、崩《くず》れおちたところから中へ入りこみ、案内者は煉瓦《れんが》や石材に躓《つま》ずきながら、建物の一隅《いちぐう》に私たちをつれていった。そこに納骨堂への急傾斜《きゅうけいしゃ》な降り口があるのだった。

マッチをすって、彼はあまりぞっとしない場所を照らした。粗削《あらけず》りの石を積んだ崩れかかった古い壁《かべ》、えたいの知れぬ匂《にお》いのよどむ中に鉛板《えんばん》張りのや石造のや、さまざまな棺《かん》が一方の壁に寄せて積みあげてあり、アーチ形になった天井《てんじょう》まで届いていた。ホームズがランタンに火をいれたので、鮮やかな黄いろい光が闇《やみ》をつらぬく漏斗《じょうご》のように、陰惨《いんさん》な光景を照らしだした。その光は棺に打ちつけた金属製の名札《なふだ》に反射したが、その多くにはこの一家の紋章である怪獣と冠《かんむり》の飾《かざ》りがつけてあり、死後もなおその名誉《めいよ》を象徴《しょうちょう》していた。

「骨があったといいましたね？　どこにあるか帰るまえにそれだけ教えてください」

「こちらですよ」と調教師は一方の隅《すみ》へ歩みよったが、われわれのあかりがそちらを照らすとおどろいて、「おや、なくなっています！」といった。

「そうだろうと思いました」ホームズはふくみ笑いをしていった。「いまごろは定めしあの炉の中で、ほかのと同じに灰になっていることでしょうよ」

「しかし千年も前に死んだ人の骨を、なんのために焼いたりするのでしょうか？」メースンがいった。

「ですから、それをここで調べようとしているのです」ホームズはいった。「長い捜査《そうさ》になると思いますから、お引き止めはできません。朝までには解決すると思いますよ」

ジョン・メースンが帰ってゆくと、ホームズは納骨堂の中の綿密な調査にとりかかった。まず中央のサクソン時代のものと思われるきわめて古い棺からはじめて、ノルマン・ユーゴーやオド時代の多くの棺をへて、ついに十八世紀のサー・ウイリアムとサー・デニースまできた。

ホームズが調べに調べて、入口にちかく、鉛《なまり》を張った棺の立ててあるのに行きつくまでには、一時間以上かかった。それを見ると彼の嬉しそうに小さく叫《さけ》ぶのが聞えた。そして急《せ》きこんだ、何かを意図してのその行動から、これはゴールに達したのだなと私はさとった。

レンズを使って、頑丈《がんじょう》な蓋《ふた》の部分をしきりに調べていたが、こんどはポケットから短いカナテコをとりだし、蓋の隙《すき》にさしこんで片がわをこじ開けた。蓋はカスガイ二つで留めてあるだけらしく、めりめりと音がして裂《さ》けた。それをなおも押しひろげて、まさに内部が見えかけたとき、思わぬ邪魔《じゃま》が入った。

頭上の礼拝堂に人の足音が聞えたのである。あたりの様子をよく知っている人が、一定の目的をもって来たのであることが、しっかりした早い足音で察せられた。階段から一条の光がさしたかと思うと、あかりを持った男の姿が、ゴシックふうの入口にぬっと現われた。体格も偉大《いだい》だが、態度も荒々しい怖《おそ》るべき人物である。高くまえに掲《かか》げた厩舎用の大きなランタンの光が、太い口髭《くちひげ》のある強い顔、怒りに燃える両眼を下から照している。その眼《め》で彼は地下室の中を隈《くま》なく見わたし、ついに私たちの姿を見つけると、ぐっと睨《にら》みすえてどなりつけた。

「きさまたちは何者だ？　おれの所有地へ入ってきて何をしているのだ？」そしてホームズが何とも返答をしないので、手にした太いステッキを振りあげて、二歩ばかり、近づいてきた。「聞えないのか？　きさまは何者だ？　ここで何をしている？」棍棒《こんぼう》がいまにも振りおろされそうに宙でゆれている。

だがホームズは怯《ひる》むどころか、前へ踏みだしてゆき、いともきびしい調子でいった。

「私からもお訊《たず》ねすることがありますよ、サー・ロバート。これは誰《だれ》です？　何のためこんなところにあるのです？」

ホームズはいきなりうしろの棺の蓋を引きあげた。ランタンのきらめくなかに、頭から足のさきまで一枚の布を捲《ま》きつけた死体を私は見た。一方のはじから、魔女めいた顔だけがのぞいており、変色して崩れかかった中に、二つの眼がにぶくこちらを凝《ぎょう》視《し》している。

従男爵《じゅうだんしゃく》は悲鳴をあげ、よろよろと尻《しり》ごみしてわずかに石棺で身を支えながら、

「どうしてこれがわかった？」と叫んだが、思いだしたように乱暴な態度にもどって、「これがきさまに何の関係があるというのだ？」

「私はシャーロック・ホームズというものです」と彼はみずから名のりをあげて、

「たぶんお聞きおよびと思います。とにかく私はつねに善良な市民の味方をするものであり、法律を支持するものです。あなたには説明していただかなければならない問題がたくさんあるようです」

サー・ロバートはしばらく睨みつけていたが、ホームズのおだやかな言葉つきや、おちついた自信のある態度がしだいにその効果をあらわしてきた。

「ふむ、わかりました。形勢は私に不利なことを認めますがね、ホームズさん。ほかに方法がなかったのです」

「そう思えれば私も安心ですが、いっさいのことは警察で弁明なさる必要があるでしょうな」

サー・ロバートは太い首をすくめて、

「必要とあらばそれも止《や》むを得ません。まあ私の家へきて話をきいたうえで、その点はどちらとも判断をねがいましょう」

十五分ばかり後に、私たちは、ガラス戸のおくに銃身《じゅうしん》を磨《みが》きあげた銃がならんでいることから推《お》して、この古い館《やかた》の銃器室と思われる部屋に納まっていた。家具類なども気持よく備えられた部屋だが、サー・ロバートはここへ私たちを残しておいて、どこかへ出ていった。

しばらくすると、一組の男女をつれて帰ってきた。女のほうは前に馬車で見うけたけばけばしい若い女、もう一人は鼠《ねずみ》のような顔つきの小柄《こがら》な男で、態度の妙にこそこそと不快な人物だった。二人ともすっかり慌《あわ》てたような顔をしているが、これは従男爵がまだ情勢の変ってきたことを二人に説明している暇《ひま》がなかったからだろう。

「こちらの二人は」とサー・ロバートは片手で示して、「ノアレット夫妻です。夫人のほうは実家の姓《せい》エヴァンズの名のもとに、多年私の妹の信頼できる小間使いをつとめてくれました。私のとるべき最善の途《みち》は、私の立場を偽《いつわ》りなく説明するにあると思ったから、この二人に来てもらったのです。これから私の申すことを立証し得るのは、この世にこの二人しかありません」

「旦那《だんな》さま、そんな必要がございましょうか？　ご自分のなさることを、よくお考えになったのでございますか？」女が口走った。

「私としましては、いっさい責任がないことを申しておきます」夫のほうがいった。

サー・ロバートはちらりと軽蔑《けいべつ》の視線をなげて、

「全責任は私にある。ではホームズさん、事実を包まず申しますから、どうぞお聞きとりください。

あなたはかなり深く私の家の事情を知っておいでのようです。でなければあそこでお目にかかるわけがありません。ですからもう、あなたはどう見ても知っておいでだと思いますが、私はダービーにダークホースを出そうとしていて、あらゆることがその成否にかかっているのです。勝てばすべて無事におさまりますが、もし負けたら――まあ、そんなことは考えたくもありませんよ」

「その立場はよくわかります」ホームズがいった。

「私は妹ビアトリス夫人の扶助《ふじょ》ですべてをやっているのです。ところが妹の財産は、誰でも知っていることだが、妹一代かぎりのものなのです。それにたいして私は、高利貸のため首もまわらぬ始末です。ここでもし妹が死にでもしたら、その連中が禿鷹《はげたか》の群のようにわっと押しかけてくるにちがいないことは、火を見るより明らかです。あらゆるものを差押えてしまうでしょう。厩舎も馬も洗いざらいにね。ところがホームズさん、その妹がちょうど一週間まえに、ほんとに死んでしまいましたよ」

「それをどこへも知らさなかったのですね！」

「どうしてこれが知らされますか？　全面的破滅《はめつ》に直面しているのですよ。しかしこでもし三週間だけ何とか無事に食い止めることができたら、何もかも好都合におさまります。

小間使いの夫は――つまりこの男ですが――俳優です。そこでふと思いついたのは、ほんのしばらくの間だし、彼ならば妹の代役がつとまるということです。それも小間使い以外は妹の部屋へ入るものはないですから、毎日馬車でドライヴするだけでよいのです。この程度の協定には困難はありません。妹はながらく苦しんでいた水腫《すいしゅ》で亡くなったのです」

「その決定は検屍官《けんしかん》の役目です」

「妹の病状が数カ月来こういう危機をはらんでいたことは、主治医が証明してくれるでしょう」

「はあ、それであなたはどうしました？」

「死体は部屋におくわけにゆきません。それでノアレットに手つだわせて、その晩のうちに井戸小屋へ移しました。そこは近年使っていない小屋です。ところが妹の可愛《かわい》がっていたスパニェルがついてきて、小屋のそとでキャンキャンしきりに啼《な》くものですから、どこかへ移さないと危ないと思いました。

そこで犬はよそへ遣《や》って、二人で死体を教会の納骨堂へはこんだのです。そのあいだに死者を冒瀆《ぼうとく》するとか、不適切な取扱《とりあつか》いをした覚えはありません。この点はいささかも恥《は》ずるところはないです」

「あなたの行為は許すべからざるものだと思いますね」

「お説教をするのは容易です」と従男爵はいまいましそうに首を振った。「あなただって、私の立場になってみれば、その考えかたも違ってくることでしょう。人はすべての希望と計画が九分どおり達せられながら、もう一歩というところでつまずきかけたのを、何ら対策を講ずることなく手を拱《こま》ぬいて見ていられるものではありません。

妹にしても、しばらくのことではあるし、夫の先祖の一人の棺の中に入っていることとは、場所も荒《あ》れてはいても清浄《せいじょう》なところでもあり、必ずしも悪くない安息所だという気もありました。そこでそういう棺の一つを開いて中をあけ、あのとおり妹をそこに納めたのです。

一方取りだした古い遺骨のほうは、まさか納骨堂の地べたに放《ほう》りだしておくわけにもゆきません。そこでノアレットと二人で持ち帰って、夜彼《かれ》が地下室へおりていって、炉《ろ》の中で焼きはらったのです。

私の話はこれだけです。それにしてもどうしてあなたが私にこれを告白しなければならないように仕向けられたのか、その点はまったくわかりません」

ホームズはしばらくじっと考えこんでいた。

「いまのお話には一つだけ欠陥《けっかん》がありますね」ホームズはついにいった。「競馬の賭《か》け、すなわちあなたの将来の希望は、債権者《さいけんしゃ》が遺産の差押《さしおさ》えをしたとしても、差支《さしつか》えなく成立するではありませんか？」

「馬も遺産のうちに数えられます。彼らはそれで私が賭けをすることなんか気にもしませんよ！　それどころか、おそらくプリンス号をダービーに出しもしないでしょう。しかも不幸にして私の最も大口の債権者のサム・ブリューワーは悪辣《あくらつ》なばかりか、ひどく敵意を抱いているのです。いつぞやニューマーケットの競馬場では、鞭《むち》で打たなきゃならなかったほどです。そのブリューワーが、かりにも私を助けてくれると思いますか？」

「なるほどね」ホームズは腰《こし》をあげながらいった。「この問題はむろん警察に一任しなきゃなりますまい。事実を明らかにするのは私の任務でしたが、明らかになったら手を引くしかありません。あなたの行為《こうい》の善悪については、意見を申すべき立場ではないのです。ワトスン君、もう真夜中にちかいよ。そろそろあの質素な宿へ引上げるとしようじゃないか？」

この奇異《きい》なエピソードが、サー・ロバートのよからぬ行為にもかかわらず、意外にめでたく幕を閉じたことは、今では周知のところである。ショスコム・プリンスは首尾《しゅび》よくダービーに優勝し、競馬好きの馬主は賭けで八万ポンドを獲得《かくとく》した。そしてダービーの終るまで猶予《ゆうよ》をあたえていた債権者たちは、これによって全額返済をうけたが、それでもなおサー・ロバートの手には、従男爵の面目を再興するに足る金額が残されたのである。

警察も検屍官もこの問題の処理には寛大《かんだい》な所見をもち、ビアトリス夫人の死亡届の遅延《ちえん》にたいして軽い咎《とが》めを加えただけで、幸運な馬主は奇怪《きかい》な行動を何ら咎められることなく無事におさまった。しかしその行動の奇怪さももはや過去のことであるし、老後は名誉ある行動に終始するものと信じられるのである。

――一九二七年四月『ストランド』誌発表――

（訳注　有名なダービー競馬は、例年五月の最終週、または六月第一週の水曜日に、ロンドン郊外のエプソム競馬場で開催される）

# 隠《いん》居《きょ》絵《えの》具《ぐ》屋

　シャーロック・ホームズはその朝あきらめたような浮《う》かぬ顔をしていた。俊《しゅん》敏《びん》で実行力のある彼《かれ》は、とかくこうした反動におそわれがちなのである。

「あの男を見たかい？」と彼がたずねた。

「いま帰っていった老人のことかい？」

「それさ」

「あの男なら入口で出会った」

「彼をどう思うかね？」

「哀《あわ》れな、つまらない敗残の徒だね」

「そうさ、哀れなつまらない男だ。だが人生ってすべて哀れなつまらないものじゃないだろうか？　あの男の身のうえも、人生の縮図にすぎないのじゃないだろうか？　手をのばして、何かをしかと握《にぎ》る。その手の中に残るものは何か？　影《かげ》だ。いや、影ならまだいいほうで、苦《く》悩《のう》だけだ」

「あの男は依頼人《いらいにん》なのかい？」

「まあそういってよかろうと思う。警視庁から廻《まわ》されてきたのだ。医者が不治の患者《かんじゃ》とみると藪医者《やぶいしゃ》へ廻したりする、あれと同じさ。そうしておいて、どうにも手の施《ほどこ》しようがない、どうせどんなヤブ処置を加えても、現在より悪くなりっこはないのだと弁解するやつさ」

「どんな問題なのだい？」

ホームズはかなり汚《よご》れた名刺《めいし》をテーブルの上からつまみあげて、

「ジョサイア・アンバリーとある。本人の話では美術用材料製造業者ブリックフォール・アンド・アンバリー商社の次席経営者だったというが、この商社の名は絵具箱などでよく見かける名だ。財産ができたので六十一のとき事業から手を引いて、ルイシャムに家を買い、たゆみない刻苦精励《せいれい》のあと、楽隠居の生活に入ったのだという。まあ誰《だれ》が見てもまずまずという気楽な身分だ」

「うむ、そりゃそうだな」

ホームズはありあわせの封筒《ふうとう》のうらに書きとめた心覚えを見ながら、

「隠退したのが一八九六年で、翌九七年のはじめ、彼は二十も年下の女と結婚《けっこん》した。写真に偽《いつわ》りがなければ、なかなかの美人だ。資産はある、美しい妻は得た、おまけに暇《ひま》は十分ある。こう見てくると、彼の前途《ぜんと》には坦々《たんたん》たる大道がひらけているかに思われた。

それにもかかわらず、それから二年たつやたたないのに、君もさっきちらりと見たとおり、世にも哀れな、見るかげもない人間になり下っているのだ」

「なにかあったのかい？」

「よくある話さ。不誠実な友と浮気《うわき》な妻とね。アンバリーには大きな道楽が一つある。チェスだ。ルイシャムの彼の家から遠くないところに、若い医者がいて、これもチェスが好きだ。名前はレイ・アーネストとここに書いてある。

アーネストがしばしばアンバリーを訪ねてゆくうち、アンバリー夫人とねんごろになったのは自然の成行だろう。それというのもわが不運な依頼人は、精神的長所はともあれ、外見上はなんといっても美点は認められないからね。そこでその二人は手に手をとって先週かけおちした。行方《ゆくえ》はまだわからない。

そのうえに不貞《ふてい》の妻は、老人が半生を費して営々と蓄積《ちくせき》した資産の大半をおさめた手提《てさげ》金庫を、行きがけの駄賃《だちん》とばかり持ち出してしまった。女を捜《さが》してもらえまいか？　何とかして金だけでも取戻《とりもど》せないものか？　今までのところではきわめて平凡《へいぼん》な事件だが、ジョサイア・アンバリーにとっては必死の問題だ」

「どう処置するつもりだい?」

「そうさ、さしあたっての問題は、もし君が僕《ぼく》の代理をつとめてくれるとしたら、どう処置するかい? 君も知っている通り、僕はいま『二人のコプト人の古老』の事件という先口があって、それも今日あたりが山だろうと思う。第一ルイシャムへ出かけている暇なんかありゃしないが、そうかといって現場で集めた資料には特殊《とくしゅ》な価値があるからねえ。あの老人はどうしても僕に来てくれとやかましくいうが、事情を話してやっと納得《なっとく》させた。そのかわり代理のものが行くといっといたよ」

「行くとも! もっとも行ったところで、大して役にたつとも思わないけれど、できるだけのことは喜んでやるよ」

というわけで私は、ある夏の日の午後、ルイシャムへ向けて出発したのであるが、私のたずさわったこの事件が、一週間を出ずしてイギリス中の話題をさらおうなどとは、夢《ゆめ》にも思わなかったことであった。

私がベーカー街へ帰ってきて、報告をすませたのはその夜おそくであった。ホームズは深い椅子《いす》にやせた体をながながと伸《の》ばして、強い煙草《たばこ》を詰《つ》めたパイプから煙《けむり》をもくもくと吐《は》きだしながら、眼瞼《まぶた》を半眼に、まるで眠《ねむ》っているのかと思うばかり、さも大儀《たいぎ》そうだった。それでも私の報告がとぎれたり、説明の怪《あや》しげなところがあったりすると、そのたびに眼瞼をあげ、短剣《たんけん》のように鋭《するど》い灰いろの眼《め》で、探《さぐ》るように私のほうを突《つ》きさした。

「ジョサイア・アンバリーの家には〝安息所《ヘイヴン》〟という呼び名がついている。これはきっと君が面白《おもしろ》がるだろうと思うのだが、下層社会に転落した貧乏《びんぼう》貴族といった趣《おもむ》きがあるのだ。あのへんは君もよく知っているだろうが、ルイシャムというのは郊外《こうがい》のうらぶれた街道筋《かいどうすじ》になっていて、単調な煉瓦建《れんがだて》の家がつらなっている。そのまん中に古くからの教養と慰安《いあん》の小島のようにこの古い家がたっているのだ。その周囲は、風雨にさらされ、ところどころに苔《こけ》むした高い塀《へい》をめぐらし、一種の……」

「詩情は止《よ》したまえ」ホームズはずけずけといった。「つまり高い煉瓦塀があるのだね？」

「そうさ。煙草をくわえてぶらぶらしている男に訊《たず》ねて、初めて〝安息所〟がどこだかわかったのだが、この男のことをいうのには理由がある。背がたかく色があさ黒くて、太い口髭《くちひげ》をはやした軍人あがりふうの男だが、僕が訊ねると口で答えるかわりに顎《あご》をしゃくって教えてくれながら、妙《みょう》に疑わしそうな眼つきで僕を見ていたが、この男のことは、あとでまた思い出させられることになるんだ。門を入ってゆくと、アンバリーが玄関《げんかん》から出迎《でむか》えにとびだしてきた。けさはちらりと見ただけだったが、それでも妙な男だという印象はうけた。ところがこうして明るいところでまともに見れば見るほど、いよいよその異常さがわかってきた」

「その点は僕も研究ずみだがね。君のうけた印象もぜひ聞きたいものだ」

「文字どおり心痛のため腰《こし》が曲ったというようなところがあった。まるで重荷でも担《かつ》いでいるように腰が曲っているのだ。それでも初めに考えたほどからだが弱っているわけじゃなく、肩《かた》のあたりや胸などは巨人《きょじん》のようにがっしりとしており、ただ脚《あし》のほうはひょろひょろで、だからからだ全体は下すぼまりになっていた」

「左の靴《くつ》の甲には皺《しわ》がよって、右はすべすべだったろう？」

「そいつは見なかったな」

「君はその気にならないからさ。僕はそこから義足と見ぬいた。だが、話をつづけたまえ」

「おどろいたことに、半白の髪《かみ》の毛を古い麦《むぎ》わら帽子《ぼうし》の下から蛇《へび》みたいにはみ出させて、気色《きしょく》ばんだ烈《はげ》しい顔にも、深い皺が見られる」

「それはいいが、彼は何といったかい？」

「ひどい目にあった次第《しだい》をくどくどと並《なら》べたてるのさ。肩をならべて玄関のほうへ歩いてゆきながらも、僕はあたりを観察するのを忘れなかった。あんなほったらかしの家は見たことがない。庭は荒《あ》れはてて、木も草も伸び放題、庭というよりは自然のままの荒れ地といったほうがわかりがいい。まともな女なら、あれじゃ辛抱《しんぼう》のできるはずがなかろう。

庭はそれとして、家の中がまた思いきってだらしがない。だが老人もそれは知っているのか、応急修理をしようとしているらしく、ホールのまん中に緑いろのペンキを入れた大きな壺《つぼ》をおいて、左手には現に大きなブラシを持っていた。木の部分を塗《ぬ》っていたのだ。

老人は僕を汚《きた》ならしい隠居部屋へ通し、そこでながいこと話しあった。むろん君のゆかなかったのにはひどく失望していた。『私のような取るにたりない男で、しかも財産をすっかりなくしたばかりのところへ、シャーロック・ホームズさんのような有名なかたが、見むきもしてくださらないのは当然とは思っていましたがな』とこうだ。

そこで僕は、資力のことなど問題じゃないのだといって聞かすと、『それはそうでしょう、あのかたのは芸術のための芸術ですからな。でもここへ来てお調べくだされば、この犯罪には芸術的側面もあって面白いのですがな。それに人間性といいますかありませんか？　一度でも私が彼女《かのじょ》の願いを容《い》れなんだことがありますか？　あれほど甘《あま》やかされてきた女があるでしょうか？　それにあの若者――私の息子といってもいいくらいの男です。この家へも自由に出入りを許しておいたのに、私をこんな目にあわせおる！　ワトスン先生、何という怖《おそ》ろしい世の中でしょう！』

一時間あまりもくどくどと愚痴《ぐち》を聞かされたが、どうやら老人は、細君が不義しているなんて、まったく知らないでいたらしい。何しろ二人きりの静かな生活で、メイドはいるけれど通いで、夕がた六時には帰ってしまうのだ。

その晩は、アンバリー老人、細君を喜ばせようと思って、ヘイマーケット劇場の天《てん》井桟敷《じょうさじき》の切符《きっぷ》を二枚買っていた。ところが出がけになって彼女は、頭が痛いから行きたくないといいだした。それで老人は一人で出かけたというのだ。この話に嘘《うそ》はないらしい。不用になった細君の切符まで出してみせたくらいだからね」

「それは面白い――きわめて注目すべきだね」ホームズはしだいに興味を覚えてきたらしい。

「話をつづけてくれたまえ。すっかり面白くなってきたよ。君その切符を見たのかい？　ひょっとして切符の番号を見なかったかい？」

「それがまた、ひょっとするんだよ」私はいささか得意だった。「三十一番というのは、僕の学生時代の番号なのさ。頭にこびりついているよ」

「うまい！　するとアンバリーのは三十番か三十二番ということになるね」

「そうなるね」私はもったいをつけて答えた。「列はB列だった」

「いよいよ満点だ。そのほかアンバリーはどんなことをいったかい？」

「それから金庫室といっている部屋を見せてくれた。鉄のドアに鉄のシャッターという、まるで銀行の金庫室そっくりの部屋だ。泥棒《どろぼう》よけだといっていたがね。しかし細君が合鍵《あいかぎ》を持っていたらしくて、ざっと七千ポンドばかりの現金と有価証券を持って二人で逃《に》げたというのだ」

「有価証券をね？　そんなものが金に替《か》えられるものかね！」

「リストを警察へ届けといたから、まあ売れないだろうということだった。それはともかく、十二時ごろに芝居《しばい》から帰ってみると、家の中が荒され、窓もドアも開け放しのまま逃亡《とうぼう》していたそうだ。そして置手紙も伝言もなく、それ以後まったく消息が知れないという。警察へはすぐに届けてある」

　ホームズはしばらく黙想《もくそう》にふけっていたが、「ペンキ塗りをしていたというが、どこを塗っていたのだい？」

「廊下《ろうか》さ。いまいった部屋のドアや木造部はもう塗り終っていた」

「こんな際に、ペンキの塗りかえなんかするのは変だとは思わないかい？」

「――『何かしていないと心の痛手が紛《まぎ》れませんでな』と弁解していたがね。たしかにつむじまがりの行動だよ。もっとも人物がつむじまがりでもあるがね。僕の眼のまえで細君の写真をひき裂《さ》いてみせたりした――『こんな顔二度と見るのも胸クソが悪くなりますよ』といいながら、気でも狂《くる》ったようにこなごなに引き裂くのさ」

「話はそれだけかい？」

「いや、何よりも不思議なことが一つあるんだよ。帰りはブラックヒース駅まで馬車を飛ばして、あそこから汽車に乗ったのだが、発車まぎわになって慌《あわ》てて隣《となり》の車室へ駈《か》けこんだ男がある。君も知っている通り、僕は人の顔には敏感《びんかん》なほうだが、それがなんと、たしかに僕がアンバリーの家を訪ねた時見かけた背のたかい色のあさ黒い男なのさ。

そのあとでロンドンブリッジ駅で降りたときも見かけたが、人ごみに紛れてつい見失ってしまった。あれはたしかに僕を尾行《びこう》したのだと思う」

「なるほど！　そうだろうね。背がたかく色があさ黒くて太い口髭のある男で、灰いろのサングラスをかけていたとかいったね？」

「えッ！　そのことは言わなかったつもりだけれど、たしかにそんなサングラスをかけていたね。君はまるで魔法使《まほうつか》いのようだよ」

「それにフリーメーソンのネクタイピンを使っていたろう？」

「ええッ！」

「いや、何でもない事なのさ。それよりも実際問題のほうを突きつめようよ。じつをいうとね、この事件は僕が出るまでもないほど簡単なことだと思っていたが、どうやら急速に様相がかわってきたようだ。君がせっかく代理で行きながら、重要なことはすべて見おとしてきているのも争われない事実だが、それにしても君が見てきた材料からだけでも、軽々しく見すごせない事件だといえる」

「僕がなにを見おとしてきたというのだい？」

「悪くとらないでくれたまえ。僕の非人情は知っているじゃないか？　君だからこそこれだけの成果をあげてくれたのだ。たいていのものにはむずかしい。それにしても君が肝心《かんじん》のところを見おとしているのもたしかだよ。

　このアンバリーという男と細君にたいする近所のものの評判はどうか？　これなんかは大切な点だよ。それにアーネストという医者だ。彼は果して淫蕩《いんとう》なロタリヨ（注訳『ドン・キホーテ』に出てくる色魔的人物）的な男であるか？　君の生れつきの利をもってすれば、どんな女だって味方に引きいれられたはずだ。郵便局の女事務員とか、八百屋のおかみさんなどの評判はどうか？〃ブルー・アンカー〃の若い女にくだらないことでも優《やさ》しく話しかけ、その返報に有力な事実を聞かされてびっくりする君を目《ま》のあたりに見るような気がするよ。これなんかすべて君の仕残してきたことだ」

「今からでもやってもいいよ」

「やってしまったのだよ。ありがたいことに電話というものがあるし、警視庁もある。僕はいながらにして重要な情報は集められるのさ。事実僕の入手した情報によると、アンバリーのいうことはほんとうのようだ、近所の評判によると、彼は守銭奴《しゅせんど》であるうえに、細君には厳しくて喧《やか》ましかった。

彼が金庫室に大金を貯《たくわ》えていたのも嘘ではない。また独身の若い医師アーネストは老人とよくチェスを闘《たたか》わしていたから、いつのまにかその妻を騙《だま》したのだろう。ここまではすべてごく普通《ふつう》の話だから、人は何もいうことはないじゃないかというだろう、だがそれにしてもねえ！」

「どこに問題があるというのだい？」

「僕の頭の中だろうね。だがまあ、この話はここでいったん打切りにしようよ。そしてこの退屈《たいくつ》平凡な現在から、音楽というわき道へでも逃避《とうひ》しようよ。今晩はアルバート・ホールでカリーナが唄《うた》うはずだ。まだ着がえや食事の余裕《よゆう》はあるから、ゆっくり楽しむとしようよ」

翌朝私が早起きしたつもりで起き出てみると、テーブルの上にはトーストの屑《くず》や卵の殻《から》が二個分のこっていて、ホームズはもう起きて食事をすましたことを物語っていた。ふと見るとそのテーブルにおき手紙がある。

ワトスン君へ——

ジョサイア・アンバリーに会って確かめたいことが二、三ある。これがわかればこの事件を放棄《ほうき》するかどうかが決められる。君を必要とするかもしれないから、三時ごろには家にいてくれたまえ。

その日ホームズは終日姿をみせなかったが、約束《やくそく》の時刻にはむずかしい顔をして、何か考えこんだ様子で帰ってきた。こんなときはなるべくそっとしておくのが最も賢《かし》こいのだ。

「アンバリーがここへ来なかったかい？」

「来ないよ」

「ふむ、もう来るはずなんだがな」

ホームズの期待にそむかず、まもなく老人が暗い顔にひどく心配そうな、わけがわからないという表情をうかべてやってきた。

「ホームズさん、さっきこんな電報がきましたが、何のことかさっぱりわかりませんよ」

そういって老人の渡《わた》した電報を、ホームズは声をだして読みあげた。

「マチガイナクスグオイデアレ　コンドノ損害ニツキオ知ラセスルコトアリ」牧師館ニテ、エルマン

「リトル・パーリントンの局から二時十分に発信してある」ホームズがいった。「リトル・パーリントンはエセックス州のフリントンから遠くないところだったと思うが、むろんすぐ行くべきですね。土地の牧師という責任ある人物から来たものだし……はて、僕の牧師録《クロクフォド》はどこへいったかな？　ああここにあった。ええと、J・C・エルマン――文学士、モスムア及《およ》びリトル・パーリントンの両教区担任とある。ワトスン君、汽車の時刻表を見てくれたまえ」

「リヴァプール街駅五時二十分発というのがあるよ」

「いいね。君もいっしょに行ってあげたほうがいい。何かと相談相手のほしいこともあろう。この事件もいよいよ大詰《おおづめ》だよ」

だが肝心の依頼者《いらいしゃ》のほうが、あまり乗気でないらしい。

「これはバカ気きっていますよホームズさん。こんな牧師なんかが、どんなことになっているのか、知っているわけがありませんよ。時間と金をムダにするばかりです」

「電報まで打ってきたくらいだから、何か知っているのでしょう。すぐ行くと返電しておくのですね」

「私は止しますよ」

ホームズはひどく厳しい顔つきをしてみせ、「これほど明瞭《めいりょう》な手掛《てがか》りがあるのに、それを調べてみようともなさらないとなると、警察にしてもこの私にしても、ひどく心証を害しますよ。あなたは心からこの捜査《そうさ》を望んではいらっしゃらないものと考えざるを得ません」

こういわれてアンバリーはすっかり慌《あわ》てた。

「いやいや、そんなふうに見られちゃたまりませんから、行きますよ。ただ見うけるところ、この牧師が何か知っているなんて、バカ気たことに見えるというだけで、もしあなたがそう思うのでしたら……」

「そりゃ思いますとも！」ホームズは語調をつよめた。

そこで私たちは牧師に会いに出かけることになったのだが、そのときホームズは私を脇《わき》へ呼んで一言注意をあたえた。それによって彼《かれ》がこのリトル・パーリントン行きをいかに重視しているかがわかった。

「どんなことをしてもいいから、この男を必ずリトル・パーリントンまで引っぱって行きたまえ。もし途中《とちゅう》でずらかるとか、帰るようなことがあったら、すぐにもよりの局へ駈けつけて、たったひと言〝逃げた〟とだけ報告してくれたまえ。ここへ電話をくれれば、どこにいても僕の耳に届くように手配しておく」

リトル・パーリントンは支線の沿線だから、行くのも簡単ではなかった。いま思いだしても愉快《ゆかい》な旅ではなかった。何しろ暑いときだし汽車はのろいし、相手はむっつりと黙《だま》りこくっていて、口を開いたかと思えば、行ってもどうせムダだといやなことをいうのだから、まったくやりきれない。

やっと田舎《いなか》の小駅に下車してみると、牧師館までは二マイルも馬車を駆《か》らねばならず、ようやく先方へ着くと大柄《おおがら》で勿体《もったい》ぶって、どちらかというと尊大ぶった牧師が現われて、私たちを書斎《しょさい》へ通した。こちらから打った返電が目のまえにおいてある。

「よくお出《い》でくださいました。どんなご用でしょう？」

「電報を拝見して参ったわけです」私から答えた。

「電報を？　私はそんなもの打ちませんが」

「いや、ジョサイア・アンバリーさんあてに、奥《おく》さんやお金の問題で、あなたからお打ちになった電報のことです」

「冗談《じょうだん》にしても、これはちとけしからぬ話です」牧師は立腹した。「お言葉にある紳《しん》士《し》はお名前も知りませんし、誰《だれ》にも電報などした覚えはありません」

アンバリーと私は、あまりのことに顔を見あわせた。

「これは何かの行きちがいかと思います」私からいった。「こちらには牧師館が二つあるのでしょうか？　ここに電報を持って参りましたが、発信地はこちらの牧師館で、発信人はエルマンとあります」

「ここには牧師館は一つしかありません。教区牧師も一人です。これは汚《けが》らわしい偽《にせ》電報《でんぽう》です。真の発信者は警察に頼《たの》んで調べてもらわねばなりません。話がそうとわかった以上、この面接をこれ以上つづけるいわれはないと思います」

というわけで私たちは表へ追いだされたが、ここはイングランドの中でも最も原始的な村だった。電信局へ行ってみたが、もう閉っていた。しかし駅前の宿屋に電話があったので、それを借りてホームズを呼びだしたが、彼も私の報告を聞いて驚《おどろ》いていた。

「それは不思議だねえ!」かすかな声が受話器に聞えてきた。「じつにおかしいよ。それにしても今晩はもう帰る汽車はないだろうね。僕は知らず知らず君に田舎宿屋の恐怖《きょうふ》をひと晩強《し》いたことになるが、自然はいたるところにあるからね。自然とジョサイア・アンバリー――この両方にゆっくり親しむことさ」

電話を切るときクスリと笑うのが聞えた。

老人が守銭奴の名に背《そむ》かない男であるのが、すぐにわかってきた。来るときも、旅行などして余計な失費だとぐずぐずいっていたが、汽車も三等にするといい張った。ここでもホテルの勘定《かんじょう》のことで騒《さわ》ぎたてた。そして翌朝どうにかロンドンへは辿《たど》りついたが、ふたりともいずれ劣《おと》らず不機嫌《ふきげん》になっていた。

「通りがかりだから、ベーカー街へちょっと寄るといいですね。ホームズ君からなにか新しい話があるかもしれません」私がすすめた。

「話といったところで、またとんでもないところへ行かされるくらいのもので、聞いてみたって仕方がありませんね」とアンバリーは意地わるいしかめ面《つら》をしながら、それでも私についてきた。

帰りの時刻はあらかじめ電報で知らせてあったが、帰ってみると置手紙がしてあって、ルイシャムへ行くが、あとから来いと書いてあった。これは大いに意外であったけれど、さてルイシャムへ行ってみると、老人の部屋で待ちうけているのはホームズ一人ではなかったので、さらに驚いた。

厳《いか》めしい、無表情な顔をした男が彼のそばに腰《こし》をおろしていた。色のあさ黒い灰いろの眼鏡をかけた男で、ネクタイに大きなフリーメーソンのピンをさしている。

「こちらは友人のバーカー君です」ホームズが紹介《しょうかい》した。「バーカー君はあなたの問題に興味をもっているのですよ、アンバリーさん。もっとも私と協同で調べてきたわけじゃありません。しかし私たちはいま同じことをあなたに訊《たず》ねたいと思っているのです」

アンバリーはどかりと腰をおろした。危険が迫《せま》ったことを感じたらしいことが、眼つきや表情に現われていた。

「どんなご質問ですね？」

「いたって簡単なことですよ。死体はどうしたのですか？」

老人はうつろな声をあげて、椅子《いす》からはねあがった。骨ばった両手で虚空《こくう》をつかみ、口をぽかんと開けて、一瞬《いっしゅん》まるで猛禽《もうきん》かなにかのような顔をした。そしてこれこそほんとうのジョサイア・アンバリーの姿——醜《みにく》い肉体とおなじく心の捩《ねじ》れた畸形《きけい》の悪魔をそこに見たのである。

彼はそのまま椅子に腰をおとすと、咳《せき》でも押《おさ》えるように片手を口へ持っていった。するとホームズはまるで虎《とら》のようにはげしく、すばやく躍《おど》りかかって、相手の顔を下へ捩じむけた。はげしく喘《あえ》ぐその口から、白い丸薬がこぼれおちた。

「早まってはいけない！　万事《ばんじ》穏当《おんとう》に条理正しく行動すべきです。バーカー君、どうします？」

「辻馬車《つじばしゃ》が待たせてあります」いたって口かず少ない相手が答えた。

「分署までは数百ヤードにすぎません。ごいっしょに行きましょう。ワトスン君はここで待っていてくれたまえ。三十分もしたら帰ってくるよ」

老絵具屋は大きな体にライオンのような力をひそめていた。だがそういうのを扱《あつか》いなれている二人の手にかかっては、ものの数ではなかった。からだをくねらせてもがきながら、馬車へ引きずってゆかれた。そして私はこの不吉《ふきつ》な家の中にただ一人とり残されたのである。しかしホームズは案外その言葉よりも早く、気のきいた若い警部を伴《ともな》って帰ってきた。

「手続きはバーカー君にまかせて帰ってきたよ」ホームズが私にいった。「君はバーカー君は初めてだね？　サリー州にあっては僕《ぼく》の苦手な強敵なんだ。君が背のたかい色のあさ黒い男といったので、僕には何もかもすぐ呑《の》みこめたよ。彼はむずかしい事件を解決した実績をいくつか持っている。そうですね、警部さん？」

「たびたび邪魔《じゃま》されましたよ」警部は遠慮《えんりょ》ぶかく答えた。

「あの男のやり口は、私なんかもそうですが、変則です。しかし変則なやり方もなかなか有効なものでしてね。たとえばあなたが容疑者に向って、お前のいうことはすべて不利な材料になるのだぞと嚇《おど》かしつけてみても、こういう悪党になると、なかなか怖《おそ》れをなしてほんとのことを白状するものじゃありませんからね」

「そうでしょうね。しかしわれわれだって結局は目的を達しますよ。この事件にしてもわれわれが何も知らずに、犯人なんか捕えられなかったろうなどとバカにしないでくださいよ。われわれと違《ちが》う方法でとびこんできて、あなたに獲物《えもの》をさらってゆかれたのには、失礼ながら地団駄《じだんだ》をふんだものですよ」

「これからは横どりなんかしませんよ、マキノン君。今後は隠退《いんたい》することを約束します。バーカー君ですが、これは私のいったことを実行しただけのことですよ」

警部は大いに安心した様子である。

「寛容《かんよう》なお言葉で感謝のいたりです。世間からほめられるかけなされるかは、あなたにとっては問題ではないでしょうが、私どもとしてはそうも参りません。ことに新聞にいろんなことを質問されますのでねえ」

「まったくですね。ほうっておくのもよいでしょう。しかし新聞はどうせうるさく質問しますよ。だから答えを用意しておくのもよいでしょう。たとえば頭のよい大胆《だいたん》な記者から、どういう点から疑惑《ぎわく》を抱《いだ》くようになったのか、どうして真相を突《つ》きとめたのかと質問されたら、何と答えますか？」

警部は困った顔をして、

「私ども、まだ真相なんかつかんでいやしませんよ、ホームズさん。あの容疑者が三人の証人の眼前で自殺を計ったのは、とりもなおさず自白したものであり、彼は細君とその愛人を殺したのだといわれますが、そのほかにどんな事実があるのですか？」

「裏づけの捜査の手配はもうできているのでしょうね？」

「三人の刑事にやらせています」

「ではすぐに、何もかもはっきりするでしょう。死体は二つとも遠くにはないはずです。地下室や庭を捜《さが》してごらんなさい。あやしいと思うところを掘《ほ》るには、そう手間はかからないでしょう。この家は水道管が入るまえに建てられた家だから、どこかに古井戸があるはずです。それも調べてみるのですね」

「それにしてもあなたはどうして知りました？　どういうふうにやったのでしょうか？」

「それではまず、事件の経過から話して、それからそれにたいする説明を、あなたはもとより、さんざんお預けをくったワトスン君に聞いてもらいましょう。ワトスン君はこの事件に大いに功績があったのですからね。

そのまえにまず、この男の精神構造《メンタリティ》を覗《のぞ》いてみたいと思います。この男の心理はよほど異常です。私としてはむしろ絞首台《こうしゅだい》でなくブロードムア（訳注　精神病犯罪者収容所のある地名）へ送るべきだと思うくらいです。彼は近代ブリトン人よりも、むしろ中世のイタリア人を思い起させるような人物です。哀《あわ》れむべき守銭奴で、細君を物質的に苦しめてきたので、細君のほうはちょっとした誘惑《ゆうわく》にあってもすぐ落ちそうな状態にあったわけです。

その誘惑がチェス好きの若い医者という形で現われたのです。アンバリーはチェスが強かった——計画的才能の一つの現われだね、ワトスン君。

多くの守銭奴のように彼は嫉妬《しっと》深い男で、その嫉妬は狂暴《きょうぼう》なまで強められた。そして幸か不幸か二人の不義を嗅《か》ぎつけ、復讐《ふくしゅう》の決心をしたのです。そしてまるで悪魔的な巧妙《こうみょう》さで計画をたてました。こっちへ来てみたまえ」

ホームズは私たちを案内して、自分の家の中のような確実さで廊下を歩き、金庫室のドアの開けはなった前でたち止まった。

「うっふ！　何というペンキの匂《にお》いだ！」警部が眉《まゆ》をひそめた。

「これが最初の手掛りになったのですよ」ホームズがいった。「その点ワトスン君の観察に感謝すべきです。もっともワトスン君にはそこから結論が出せなかったですけれどね。私はそこから足を踏《ふ》みだしたのです。この男は折りも折り、なぜ家の中にこうも強いペンキの匂いを漂《ただ》よわせるのか？　もちろん何か人に知られたくないほかの匂い――疑念を持たれるおそれのある臭気《しゅうき》を消すためです。

そのとき私の頭に浮《うか》んだのは、ごらんの通り鉄のドアやシャッターを備えた密閉できる部屋のことです。この二つを結びつけて考えてみると、どういうことになりますか？　とにかくこれは自分で家の中を実地に見るまでは決められないと思いました。

そのまえに私はヘイマーケット劇場の座席一覧表をみて――これもワトスン君の慧《けい》眼《がん》のおかげですが――天井桟敷《てんじょうさじき》のB列三十番も三十二番もその晩は客がなかったと確かめて、この事件の容易ならぬものであるのを見ぬいていたのです。ですからアンバリーはその晩ヘイマーケット劇場へは行かなかったのです。従って彼のアリバイは地に墜《お》ちたわけです。

それなのに彼が私の慧眼の友に、細君のためムダになった切符《きっぷ》を見せ、その番号を読みとられたのは大きな手ぬかりでした。

そこで問題は、どうしたらこの家を僕自身で調べることができるかです。それには思いつく限りの途方もない田舎へ代理のものを派遣《はけん》して、行ったが最後その日のうちには帰れそうもない時刻を見はからって、あの男をそこへ呼びつける電報を打たせたのです。まちがいの起らないように、ワトスン君に同行してもらいました。牧師の名は、もとより牧師録からとったのです。これでおわかりですか？」

「実に巧妙なものですね」警部が舌をまいた。

「邪魔の入る心配はありませんから、私は悠々《ゆうゆう》と夜盗《やとう》のまねをしました。私はもし探偵《たんてい》にならないとすれば、気さえ向いたら泥棒《どろぼう》になっていたでしょう。しかも泥棒で大いに頭角を現わし得たと確信します。

私の発見をみてください。この壁《かべ》の裾《すそ》にそってガス管が引いてあるでしょう？　それです。壁の曲り目で上へあがって、ここに栓《せん》があります。パイプはこの通り金庫室の中へ入って、天井の中央にある石膏《せっこう》のばら飾《かざ》りの中まで行って切れていますが、それは装飾《そうしょく》にかくれて眼《め》には見えません。しかもパイプの端《はし》は切りっぱなしなのです。だから外で栓をあけさえすれば、金庫室の中にはガスが充満《じゅうまん》するわけです。このドアもシャッターも閉めておいて、外の栓をいっぱいに開けたら、中にいるものはおそらく二分とは意識がありますまい。どういううまい方法で、二人をここへ誘《おび》きこんだものか、それはわかりませんけれど、とにかく二人がここへ入ってしまえば、思いのままです」

警部は眼を光らせてパイプを調べてみた。

「署のほうで、ガスの臭気があったと報告したものが一人ありました。しかしそのときはもう窓もドアも開け放ってありましたし、すでにペンキが塗《ぬ》って——いやな匂いでいっぱいだったものですから……報告によるとペンキは前日から塗りはじめたものです。それにしても、それからあなたはどうしました？」

「それから私にとってはいささか意外なことになりました。明けがたに食器室の窓から這《は》いだしていると、いきなり首を締《し》めつけながら、『こら！　何をしとる？　けしからん奴《やつ》だ！』と咎《とが》めるものがあります。やっと首をねじ向けてみると、わがサングラスの好敵手バーカー君ではありませんか。

あまりの奇遇《きぐう》に二人は苦笑しましたが、バーカー君はレイ・アーネスト博士の家族の依頼《いらい》で調査していたところ、私とおなじように姦計《かんけい》が行われたという結論に達したらしいです。

それで数日まえからこの家を見張っていたらしいのですが、ワトスン君が訪ねていったときも、怪《あや》しい奴として眼をつけたらしいです。しかし確たる証拠《しょうこ》もないので、捕えるわけにもゆかず、むずむずしているところへ、食器室の窓から這いだしてきた奴があるので、たまらなくなって手をだしたというのです。そこで私は事件の概略《がいりゃく》を話してやり、協同で仕事にあたることにしたのです」

「なぜ彼と、なのです、なぜわれわれとではなかったのです？」

「それはちょっとしたテストをやってみたかったからですが、結果はきわめて上々でした。警察にはそこまでお願いはできませんからね」

警部はにっこりして、

「それもそうですね。しかしあなたはさっき、自分はこれで手を引いて、資料はすべて警察へ引きわたすとおっしゃいましたね？」

「申しました。そうするのが私の習慣です」

「それはありがとう。一同になり代ってお礼を申しあげます。おかげで事件は明瞭《めいりょう》になったようですし、死体の捜査もさして難事ではありますまい」

「ここで怖ろしい証拠を一つお目にかけましょう」ホームズがいった。「アンバリーでさえ気がついてはいないと思いますよ。警部さん、証拠をつかもうと思えば、いつでも他人の身になって、自分だったらどうするか考えてみることですよ。それにはいくらか想像力がいりますが、それだけに報《むく》いられます。

いま、あなたがこの小さな部屋へ閉じこめられて、二分間しか生きていられないとします。しかし部屋の外でおそらく自分を嘲笑《ちょうしょう》している男に思い知らせてやりたい。その場合あなたならどうしますか？」

「書置きをしますね」

「そうですね。どんなふうにして殺されたかを人に知らせたいでしょう。紙に書いたのでは駄目《だめ》です。そんなものは見つかりますからね。壁にでも書いておけば、いつかは誰かの眼にふれるでしょう。そこでここをごらんなさい。この壁の裾のほうに、紫《むらさき》の消えない鉛筆《えんぴつ》で走りがきしてあります。“We we……”これだけですがね」

「何のことでしょう？」

「床《ゆか》から一フィートしかないところに書いてありますが、これを書いた人は床の上に倒《たお》れて死にかけていたのです。それが書きおわらぬうちに、気が遠くなってしまったのですね」

「わかりました。“We were murdered”（われわれは殺されたのだ）と書こうとしたのです」

「私もそう判断しました。死体から紫の消えない鉛筆が出てきたら……」

「必ずさがしてみます。しかし有価証券はどうなったのでしょう？　ああこれは、盗《ぬす》まれたなんていうのは嘘《うそ》です。アンバリーの奴ちゃんと持っているのですよ。それで何もかもわかりました」

「どこかへ隠《かく》していることは確かです。二人のかけおち事件が人の噂《うわさ》にのぼらなくなったころ、彼はとつぜんそれを発見したことにして、不義の二人が後悔《こうかい》して送り返してきたとか、あるいは逃《に》げる途中《とちゅう》で落していたとか発表するつもりだったのでしょう」

「あらゆる困難な問題に対して解決をもっておいでのようですね」警部がいった。「むろん彼がまずわれわれに届け出たのはよいとして、なぜあなたのところへ行ったのか、それが私にはわかりませんよ」

「単なる自惚《うぬぼ》れですよ！」ホームズが答えた。「非常にうまくやったつもりで、誰にも尻尾《しっぽ》を押えられることはないと自惚れていたのです。近所の人に怪しまれでもしたら、『ちゃんと手は尽《つ》してありますよ。警察へ届けただけじゃなく、シャーロック・

ホームズさんにさえ頼んでありますのでな』とやるつもりだったのです」

警部はからから笑った。

「ホームズさんにさえとあなたにいわれても、止《や》むを得ませんね。こんな手際《てぎわ》のいい仕事は見たことがありませんからね」

二日ばかりたって、ホームズは〝ノース・サリー・オブザーヴァー〟という隔週刊《かくしゅうかん》の地方紙をひょいと私に放《ほう》ってよこした。それには〝安息所の恐怖《きょうふ》〟にはじまって〝警察の大手柄《おおてがら》〟に終るデカデカとした見出しの記事がのっていて、この事件のことが初めて詳《くわ》しく報じてあった。最後の一節なんかは典型的である。

マキノン警部がペンキの匂いによって、何かほかの悪臭、たとえばガスの悪臭の如《ごと》きが隠されているのではないかと推定した驚くべき明敏《めいびん》さ、また金庫室が死の部屋であったかもしれぬという大胆きわまる推定、引きつづく捜査《そうさ》によって犬小屋で巧《たく》みに隠された古井戸内における死体の発見にいたったあたり、わが警察界における明智《めいち》を示す不滅《ふめつ》の実例として、犯罪史上ながく記憶《きおく》にのこることであろう。

「まあいいさ、マキノンはいい男だからね」ホームズは寛大《かんだい》な微笑《びしょう》をうかべていった。
「これを記録簿に綴《と》じこんでおきたまえ。いつかは真相を語るときもあるだろうよ」

——一九二七年一月『ストランド』誌発表——

# 解説

延原謙

「シャーロック・ホームズの叡智《えいち》」という独立した単行本はドイルの原作にはない。これはまったく訳者が勝手に命名したものであって、原作者にも読者にも相すまない次第《しだい》ながら、止《や》むを得なかった。こうなった事情を述べて宥恕《ゆうじょ》を乞《こ》いたい。ドイルの原作はみんなで長編四冊と短編五冊であるが、この文庫用に組んでみると、短編集はページ数がやたら多くなったので、読者に迷惑《めいわく》をかけることになるという考慮《こうりょ》から、一部を割愛《かつあい》することになった。ここに集めたのはこの割愛したものをまとめたもので、全部で八編ある。原作の順序でいうと、はじめの二編が「冒険《ぼうけん》」から、つぎの一編が「思い出」から、つぎの三編が「帰還《きかん》」から、あとの二編が「事件簿《じけんぼ》」からそれぞれ割愛したものである。「最後の挨拶《あいさつ》」からはそれをしないですんだ。

雑誌と違《ちが》って文庫では、発売されてしまえばどれが先だったかは後からではわからなくなってしまうし、問題ではないわけだけれど、この文庫の「シャーロック・ホームズ全集」では本書が最後の発売ということになる。これで「全集」は完成されたわけで、コナン・ドイルのシャーロック・ホームズ物語はこれ以外にない。

なお作者のコナン・ドイルは一九三〇年に七十一歳《さい》かで亡《な》くなったが、そのシャーロック・ホームズ譚《たん》は本国のイギリスではもとより、アメリカやその他の国でも今もって愛好者がたくさんあるので、一九五三年に遺児のアドリアン・コナン・ドイル氏が、ディクスン・カーという探偵《たんてい》作家（この人は探偵作家クラブの会長をつとめたこともある）と合作で、まったく新しい短編シャーロック・ホームズ物語を雑誌に発表し、昨一九五四年にそれを集めて「シャーロック・ホームズの手柄《てがら》」と題する一冊の単行本にして出した。

いったいコナン・ドイルがシャーロック・ホームズを書きだしたのは一八八六年の、飛行機はもとより自動車もなく、電話さえベルが発明して三、四年のことだから普及《ふきゅう》していないという時代のことであった。だから今ならば電話や自動車で簡単にすむような用事を、ホームズは電報を使ってみたり、馬車にゆられて行ったりするような有様だった。それでこの息子《むすこ》さんの「手柄」もすべてそういう時代の話にしてある。短編はみんなで十二あり、なかには亡父の作に劣《おと》らぬほどの出来ばえのものもある。シャーロック・ホームズが今もって英米でも愛読されている一証として述べたのである。

最後に熱心な読者のために、ここに集めた諸作が原作のどこに入るかを番号によって示しておく。本書の一番と二番は原作「冒険」の九番と十一番に入るべきものである。本書の三番は原作「思い出」の六番に、本書の四、五、六番の作は原作「帰還」では二番と九番と十一番目の作であり、本書の七番と八番は原作「事件簿」の十一、十二番に位置すべきものである。これらの作が他のものより劣《おと》るものであると訳者が思っている訳ではけっしてない。

（一九五五年九月）

## 改版にあたって

この度《たび》、活字を大きく読みやすくするに当たり、新潮社の意向により外国名、外来語のカタカナ表記の正確、統一を図ることになった。訳者が一九七七年に没しているため、訳者の嗣子《しし》である私がその作業に当たったが、現代においてはあまりに難解な熟語や、種々の古風すぎる表現も多少改め、不適当と思われる訳文を修正した。あくまでも原文に忠実にを基本に置き、物語の背景であるヴィクトリア朝の持つ雰《ふん》囲気《いき》を伝える程度の古風さは残したいと考えつつ、もとの訳文の格調を崩《くず》さぬよう留意して作業したつもりであるが、読者諸氏の御理解を得られれば幸いである。

改訂《かいてい》に当たり、訳者の姪《めい》である成井やさ子、および、新潮文庫編集部の協力を得たので、ここに謝意を表する。

延 原 展

（一九九二年七月）

シャーロック・ホームズの冒険
C・ドイル
延原謙訳

ロンドンにまき起る奇怪な事件を追う名探偵シャーロック・ホームズの推理が冴える第一短編集。「赤髪組合」「唇の捩れた男」等、10編。

シャーロック・ホームズの帰還
C・ドイル
延原謙訳

読者の強い要望に応えて、作者の巧妙なトリックにより死の淵から生還したホームズ。帰還後初の事件「空家の冒険」など、10編収録。

シャーロック・ホームズの思い出
C・ドイル
延原謙訳

探偵を生涯の仕事と決める機縁となった「グロリア・スコット号」の事件。宿敵モリアティ教授との決死の対決「最後の事件」等、10短編。

シャーロック・ホームズの事件簿
C・ドイル
延原謙訳

知的な風貌の裏側に恐るべき残忍さを秘めたグルーナ男爵との対決を描く「高名な依頼人」など、難事件に挑み続けるホームズの傑作集。

緋色の研究
C・ドイル
延原謙訳

名探偵とワトスンの最初の出会いののち、空家でアメリカ人の死体が発見され、続いて第二の殺人事件が……。ホームズ初登場の長編。

四つの署名
C・ドイル
延原謙訳

インド王族の宝石箱の秘密を知る帰還少佐の遺児が殺害され、そこには〝四つの署名〟が残されていた。犯人は誰か？　テムズ河に展開される大捕物。

C・ドイル
延原謙訳
**バスカヴィル家の犬**

爛々と光る眼、火を吐く口、全身が青い炎で包まれているという魔の犬——恐怖に彩られた伝説の謎を追うホームズ物語中の最高傑作。

C・ドイル
延原謙訳
**恐怖の谷**

イングランドの古い館に起った奇怪な殺人事件に端を発し、アメリカ開拓時代の炭坑町に跋扈する悪の集団に挑むホームズの大冒険。

C・ドイル
延原謙訳
**シャーロック・ホームズ最後の挨拶**

引退して悠々自適のホームズがドイツのスパイ逮捕に協力するという異色作「最後の挨拶」など、鋭い推理力を駆使する名探偵ホームズ。

延原謙訳
**ドイル傑作集（Ⅰ）**
—ミステリー編—

奇妙な客の依頼で出した特別列車が、線路上から忽然と姿を消す「消えた臨急」等、ホームズ生みの親によるアイディアを凝らした8編。

延原謙訳
**ドイル傑作集（Ⅱ）**
—海洋奇談編—

十七世紀の呪いを秘めた宝箱、北極をさまよう捕鯨船の悲話や大洋を漂う無人船の秘密など、海にまつわる怪奇な事件を扱った6編。

延原謙訳
**ドイル傑作集（Ⅲ）**
—恐怖編—

航空史の初期に、飛行士が遭遇した怪物との死闘「大空の恐怖」、中世の残虐な拷問を扱った「革の漏斗」など自由な空想による6編。

M・ルブラン
堀口大學訳

## 813
—ルパン傑作集（I）—

殺人現場に残されたレッテル"813"とは？恐るべき冷酷さで、次々と手がかりを消していく謎の人物と、ルパンとの息づまる死闘。

M・ルブラン
堀口大學訳

## 続 813
—ルパン傑作集（II）—

奸計によって入れられた刑務所から脱獄、ヨーロッパの運命を託した重要書類を追うルパン。遂に姿を現わした謎の人物の正体は……。

M・ルブラン
堀口大學訳

## 奇岩城
—ルパン傑作集（III）—

ノルマンディに屹立する大断崖に、フランス歴代王の秘宝を求めて、怪盗ルパン、天才少年探偵、イギリスの名探偵等による死の闘争図。

M・ルブラン
堀口大學訳

## ルパン対ホームズ
—ルパン傑作集（V）—

フランス最大の人気怪盗アルセーヌ・ルパンと、イギリスが誇る天才探偵シャーロック・ホームズの壮絶な一騎打。勝利はいずれに？

ポー
巽孝之訳

## 黒猫・アッシャー家の崩壊
—ポー短編集I ゴシック編—

昏き魂の静かな叫びを思わせる、ゴシック色、ホラー色の強い名編中の名編を清新な新訳で。表題作の他に「ライジーア」など全六編。

ポー
巽孝之訳

## モルグ街の殺人・黄金虫
—ポー短編集II ミステリ編—

名探偵、密室、暗号解読——。推理小説の祖と呼ばれ、多くのジャンルを開拓した不遇の天才作家の代表作六編を鮮やかな新訳で。

S・キング
山田順子訳
スタンド・バイ・ミー
—恐怖の四季 秋冬編—
死体を探しに森に入った四人の少年たちの、苦難と恐怖に満ちた二日間の体験を描いた感動編「スタンド・バイ・ミー」。他1編収録。

S・キング
浅倉久志訳
ゴールデンボーイ
—恐怖の四季 春夏編—
ナチ戦犯の老人が昔犯した罪に心を奪われた少年は、その詳細を聞くうちに、しだいに明るさを失い、悪夢に悩まされるようになった。

S・キング
白石朗他訳
第四解剖室
私は死んでいない。だが解剖用大鋏は迫ってくる……切り刻まれる恐怖を描く表題作ほかO・ヘンリ賞受賞作を収録した最新短篇集！

J・アーヴィング
筒井正明訳
ガープの世界
全米図書賞受賞（上・下）
巧みなストーリーテリングで、暴力と死に満ちた世界をコミカルに描く、現代アメリカ文学の旗手J・アーヴィングの自伝的長編。

J・アーヴィング
中野圭二訳
ホテル・ニューハンプシャー
（上・下）
家族で経営するホテルという夢に憑かれた男と五人の家族をめぐる、美しくも悲しい愛のおとぎ話——現代アメリカ文学の金字塔。

K・グリムウッド
杉山高之訳
リプレイ
世界幻想文学大賞受賞
ジェフは43歳で死んだ。気がつくと彼は18歳——人生をもう一度やり直せたら、という窮極の夢を実現した男の、意外な、意外な人生。

D・E・ウェストレイク
木村二郎訳
ギャンブラーが多すぎる

ギャンブル好きのタクシー運転手が殺人の容疑者に。ギャングにまで追われながら美女とともに奔走する犯人探し——巨匠幻の逸品。

G・グリーン
上岡伸雄訳
情事の終り

「私」は妬心を秘め、別れた人妻サラを探偵に監視させる。自らを翻弄した女の謎に近づくため——。究極の愛と神の存在を問う傑作。

ブコウスキー
青野聰訳
町でいちばんの美女

救いなき日々、酔っぱらうのが私の仕事だった。バーで、路地で、競馬場で絡まる淫猥な視線。伝説的カルト作家の頂点をなす短編集！

L・ホワイト
矢口誠訳
気狂いピエロ

運命の女にとり憑かれ転落していく一人の男の妄執を描いた傑作犯罪ノワール。あまりに有名なゴダール監督映画の原作、本邦初訳。

D・ヒッチェンズ
矢口誠訳
はなればなれに

前科者の青年二人が孤独な少女と出会ったとき、底なしの闇が彼らを待ち受けていた——。ゴダール映画原作となった傑作青春犯罪小説。

J・ノックス
池田真紀子訳
堕落刑事
—マンチェスター市警エイダン・ウェイツ—

ドラッグで停職になった刑事が麻薬組織に潜入捜査。悲劇の連鎖の果てに炙りだした悪の正体とは……大型新人衝撃のデビュー作！

D・R・ポロック
熊谷千寿訳

**悪魔はいつもそこに**

狂信的だった亡父の記憶に苦しむ青年の運命は、邪《よこしま》な者たちに歪められ、暴力の連鎖へ巻き込まれていく……文学ノワールの完成形！

M・ブルガーコフ
増本浩子
V・グレチュコ訳

**犬の心臓・運命の卵**

人間の脳を移植された犬、巨大化したアナコンダの大群——科学的空想世界にソ連体制への痛烈な批判を込めて発禁となった問題作。

T・R・スミス
田口俊樹訳

**チャイルド44**（上・下）

CWA賞最優秀スリラー賞受賞

連続殺人の存在を認めない国家。ゆえに自由に凶行を重ねる犯人。それに独り立ち向かう男——。世界を震撼させた戦慄のデビュー作。

フルトヴェングラー
芳賀　檀訳

**音と言葉**

ベルリン・フィルやヴィーン・フィルでの名演奏によって今や神話的存在にまでなった大指揮者が〈音楽〉について語った感銘深い評論。

フリーマントル
稲葉明雄訳

**消されかけた男**

KGBの大物カレーニン将軍が、西側に亡命を希望しているという情報が英国情報部に入った！　ニュータイプのエスピオナージュ。

T・ハリス
高見　浩訳

**羊たちの沈黙**（上・下）

FBI訓練生クラリスは、連続女性誘拐殺人犯を特定すべく稀代の連続殺人犯レクター博士に助言を請う。歴史に輝く〝悪の金字塔〟。

T・ハリス
高見浩訳
ハンニバル（上・下）
怪物は「沈黙」を破る……。血みどろの逃亡劇から7年。FBI特別捜査官となったクラリスとレクター博士の運命が凄絶に交錯する！

T・ハリス
高見浩訳
ハンニバル・ライジング（上・下）
稀代の怪物はいかにして誕生したのか——。第二次大戦の東部戦線からフランスを舞台に展開する、若きハンニバルの壮絶な愛と復讐。

カポーティ
川本三郎訳
叶えられた祈り
ハイソサエティの退廃的な生活にあこがれるニヒルな青年。セレブたちが激怒し、自ら最高傑作と称しながらも未完に終わった遺作。

P・オースター
柴田元幸訳
幽霊たち
探偵ブルーが、ホワイトから依頼された、ブラックという男の、奇妙な見張り。探偵小説？哲学小説？'80年代アメリカ文学の代表作。

P・オースター
柴田元幸訳
孤独の発明
父が遺した夥しい写真に導かれ、私は曖昧な記憶を探り始めた。見えない父の実像を求めて……。父子関係をめぐる著者の原点的作品。

P・オースター
柴田元幸訳
ムーン・パレス
日本翻訳大賞受賞
世界との絆を失った僕は、人生から転落しはじめた……。奇想天外な物語が躍動し、月のイメージが深い余韻を残す絶品の青春小説。

**偶然の音楽**
P・オースター
柴田元幸訳

〈望みのないものにしか興味の持てない〉ナッシュと、博打の天才が辿る数奇な運命。現代米文学の旗手が送る理不尽な衝撃と虚脱感。

**リヴァイアサン**
P・オースター
柴田元幸訳

全米各地の自由の女神を爆破したテロリストは、何に絶望し何を破壊したかったのか。そして彼が追い続けた怪物リヴァイアサンとは。

**ナショナル・ストーリー・プロジェクト（I・II）**
P・オースター編
柴田元幸他訳

全米から募り、精選した「普通」の人々のちょっと不思議で胸を打つ実話180篇。『トゥルー・ストーリーズ』と対をなすアメリカの声。

**幻影の書**
P・オースター
柴田元幸訳

妻と子を喪った男の元に届いた死者からの手紙。伝説の映画監督が生きている？　その探索行の果てとは——。著者の新たなる代表作。

**オラクル・ナイト**
P・オースター
柴田元幸訳

ブルックリンで買った不思議な青いノートに作家が物語を書き出すと……美しい弦楽四重奏のように複数の物語が響きあう長編小説！

**ロゼッタストーン解読**
L・アドキンズ
R・アドキンズ
木原武一訳

失われた古代文字はいかにして解読されたのか？　若き天才シャンポリオンが熾烈な競争と強力なライバルに挑む。興奮の歴史ドラマ。

Author : Sir Arthur Conan Doyle

シャーロック・ホームズの叡智《えいち》

新潮文庫 ト－3－10

昭和三十年九月二十日 発行
平成二十二年七月二十日 九十九刷改版
令和六年十二月五日 百十一刷

訳者 延《のぶ》原《はら》謙《けん》

発行者 佐藤隆信

発行所 株式会社 新潮社
郵便番号 一六二―八七一一
東京都新宿区矢来町七一
電話 編集部(〇三)三二六六―五四四〇
読者係(〇三)三二六六―五一一一
https://www.shinchosha.co.jp

価格はカバーに表示してあります。

乱丁・落丁本は、ご面倒ですが小社読者係宛ご送付ください。送料小社負担にてお取替えいたします。

印刷・大日本印刷株式会社 製本・株式会社大進堂

ISBN978-4-10-213410-8 C0197